D1533927

LE PREMIER QUARTIER DE LA LUNE

Théâtre

• Le cycle des *BELLES-SŒURS*
LES BELLES-SŒURS, 1972.
EN PIÈCES DÉTACHÉES, 1970.
TROIS PETITS TOURS, 1971.
À TOI, POUR TOUJOURS, TA MARIE-LOU, 1971.
DEMAIN MATIN, MONTRÉAL M'ATTEND, 1972.
HOSANNA suivi de *LA DUCHESSE DE LANGEAIS*, 1973.
BONJOUR, LÀ, BONJOUR, 1974.
SAINTE CARMEN DE LA MAIN suivi de *SURPRISE! SURPRISE!*, 1976.
DAMNÉE MANON, SACRÉE SANDRA, 1977.
ALBERTINE, EN CINQ TEMPS, 1984.
LE VRAI MONDE?, 1987.

• Autres
LES HÉROS DE MON ENFANCE, 1976.
L'IMPROMPTU D'OUTREMONT, 1980.
LES ANCIENNES ODEURS, 1981.

Roman

LA GROSSE FEMME D'À CÔTÉ EST ENCEINTE, 1978.
THÉRÈSE ET PIERRETTE À L'ÉCOLE DES SAINTS-ANGES, 1980.
LA DUCHESSE ET LE ROTURIER, 1982.
DES NOUVELLES D'ÉDOUARD, 1984.
LE CŒUR DÉCOUVERT, 1986.

Adaptations (théâtre)

LYSISTRATA (d'après Aristophane), en collaboration avec André
    Brassard, 1969.
L'EFFET DES RAYONS GAMMA SUR LES VIEUX GARÇONS (de Paul
    Zindel), 1970.
ET MADEMOISELLE ROBERGE BOIT UN PEU (de Paul Zindel), 1971.
MADEMOISELLE MARGUERITE (de Roberto Athayde), 1975.
ONCLE VANIA (d'Anton Tchekov), 1983.
LE GARS DE QUÉBEC, (d'après Gogol), 1985.
SIX HEURES AU PLUS TARD (de Marc Perrier), 1986.

CONTES POUR BUVEURS ATTARDÉS, Éditions du Jour, 1966.
LA CITÉ DANS L'ŒUF, Éditions du Jour, 1969.
C'T'À TON TOUR, LAURA CADIEUX, Éditions du Jour, 1973.
IL ÉTAIT UNE FOIS DANS L'EST, en collaboration avec André Brassard,
    Éditions de l'Aurore, 1974.

MICHEL TREMBLAY

LE PREMIER QUARTIER DE LA LUNE

Roman

LEMÉAC

Maquette de la couverture : Claude Lafrance
Dessin de la couverture : Jonathan Valiquette-Poirier, *Le Chat masqué*, 1983.

ISBN : 2-7609-3124-2

© Copyright Ottawa 1989 par Leméac Éditeur
Dépôt légal - Bibliothèque nationale du Québec
3e trimestre 1989

Imprimé au Canada

À Chantal Beaupré, Louise Latraverse, Loui Maufette et René Richard Cyr, avec toute mon affection.

Quand Victoire apercevait le premier quartier de la lune, a' disait toujours : « Tiens, le bon Dieu vient de se couper un ongle d'orteil... » Moé, j'pensais : « Le monde recommence en neuf comme à tous les vingt-huit jours. »

Josaphat-le-violon
dans *Les dits de Victoire*

Il sortit de la maison au moment précis où l'été commençait. Un frémissement dans les arbres, une syncope, un soupir qui monte au cœur de la rue Fabre, une hésitation à l'intérieur même du temps comme si la nature attendait d'être bien certaine que les beaux jours sont vraiment là, qu'il n'y aura plus ni soubresauts ni hésitations, avant de poursuivre sa course ; puis un silence court et violent, plus qu'une absence de son, un trou. La ville au complet était suspendue, immobile, et attendait le signal pour continuer à vivre.

Il se dit que plus rien n'existait, qu'il était figé à tout jamais, qu'il faisait désormais partie d'une photo représentant la première seconde de l'été 1952. C'était l'agrandissement d'une photo en noir et blanc, aux tons très contrastés, et luisante, comme si on venait d'y étaler une couche de vernis. Un petit garçon de neuf ans se tenait sur la première marche de l'escalier extérieur d'une maison de brique brune de trois étages. Il était en plein milieu de la photo, on ne pouvait donc pas reconnaître ses traits, sa silhouette étant trop petite. Mais il semblait hésiter à descendre les dix-huit marches qui menaient directement au trottoir. Il regardait droit devant lui, la patte en l'air : quelqu'un venait de crier son nom ou alors il était témoin de quelque chose qui l'étonnait. Il était le seul être vivant sur cette photo. Aucun animal familier, ni oiseau, ni chat, ni chien, ne s'adonnait à passer par là et on pouvait se dire qu'il devait être très tôt le matin, que le petit garçon était peut-être en fuite. Le sac qu'il portait sur le dos n'était pourtant pas un baluchon de fuyard mais un simple sac d'école à bretelles que le petit garçon n'avait pas pris le temps d'attacher dans sa hâte de sortir de la maison. C'était une photo qui donnait un peu froid dans le dos parce qu'on aurait dû y sentir du mouvement — après tout un petit garçon qui descend un escalier, c'est plein de vie, ça fait du bruit, ça brasse de l'air — alors qu'au contraire, cette immobilité si bien composée, presque voulue, gênait par ce qu'elle avait de singulier : cet enfant surpris en plein mouvement avait quelque chose de mystérieux. Pendant la seconde où la photo avait été prise, un mystère s'était produit. C'était la photo d'un mystère.

Un léger vertige le prit mais au lieu de se plier en deux ou de s'appuyer à la main courante, il redressa le dos, étira le cou et avala une goulée d'air qu'il retint le plus longtemps possible. Le signal vint, mais trop tôt à son goût : l'arbre devant la maison s'agita comme à l'approche d'un orage alors qu'il ne ventait pas et qu'aucun nuage ne se voyait dans le ciel, un oiseau piailla comme une vrille, la lumière perdit un peu de son éclat. Le nœud fut défait. Autour de lui tout recommençait déjà à bouger, à vivre, à bruire ; c'était redevenu un matin d'été normal, d'une très grande beauté, avec des verts encore émouvants et un ciel du plus beau bleu, mais normal. Presque banal. Il aurait voulu que le vertige continue. avoir le temps de se préparer à recevoir l'été comme il le méritait, en héros ; il aurait voulu prendre le temps de boire cette première seconde, goulûment, sans se presser, d'en goûter les promesses parce que pendant deux longs mois, tout juillet, tout août, il serait libre de faire ce qu'il voudrait, c'est-à-dire raconter des histoires compliquées et sans fin à ses amis, alors qu'il avait à peine eu le temps de la respirer, cette divine seconde, avant qu'elle disparaisse pour toujours dans la mémoire universelle, fixée en une photo dont ils étaient tous deux le sujet, lui et la première seconde de l'été. Encore une fois il se sentit frustré d'une chose dont il n'avait pas su vraiment profiter. Le temps d'un battement de cœur, une impression frustrante d'insaisissable, la certitude de vivre un moment important mais hors de portée, puis plus rien que lui au milieu du monde.

Il descendit quelques marches, s'assit, les genoux pliés bien haut, les mains serrant le bout de ses souliers, la bouche collée sur une gale qui achevait de sécher mais que sa mère, la grosse femme, lui avait défendu d'arracher. Après tout, il avait bien quelques minutes à perdre. Pour imprimer dans sa mémoire cette petite défaite qui s'ajoutait aux autres.

Il avait quitté la table plus tôt parce que Marcel, son cousin, faisait des grimaces avec la bouche pleine de gruau et qu'il sentait qu'un drame trop familier se préparait dans la cuisine : après le troisième avertissement de sa tante Albertine, c'était habituellement la claque derrière la tête, après la claque derrière la tête la gifle, et après la gifle... En ce premier matin d'été, il n'avait pas eu envie d'entendre sa tante hurler, sa mère à lui protester, Marcel rire en faisant des grimaces de plus en plus laides avant de cracher son gruau un peu partout sur la table. Il pensa que s'il était resté dans la maison il aurait complètement raté ce moment privilégié qui lui avait fait voir l'été s'enfoncer dans la rue Fabre comme une épée, tranchant d'un coup tout ce qui la retenait encore au printemps qui n'en finissait plus, et il sourit.

«Chus tu-seul à avoir vu l'été arriver. Même si j'étais mal préparé.» Il regarda autour de lui, dans les escaliers extérieurs, sur les balcons des maisons avoisinantes, pour vérifier si un autre petit garçon ou une petite fille n'était pas, comme lui, encore frissonnant de ce qui venait de se produire, témoin involontaire et privilégié d'un moment unique, précieux, mais il était bien seul et il soupira d'aise.

Claude Lemieux, minuscule et si mignon dans ses vêtements fraîchement repassés qu'il se ferait un devoir de salir le plus tôt possible, sortit de chez lui, juste en face, et lui envoya la main.

«Que c'est que tu fais là? Y faut remettre nos livres d'école avant l'examen de français, à matin, faut pas arriver en retard!»

L'enfant de la grosse femme ferma les yeux, enfouit son nez entre ses deux genoux.

«J'vas y aller, ça sera pas long. Mais attends-moé pas...»

Il sentait le poids de ses manuels scolaires contre son dos, tous ces livres qu'il avait haïs ou

14

aimés durant l'année mais qui étaient des *livres*, sa grande passion, ce qu'il aimait le plus au monde après ses parents, plus que ses frères en tout cas, trop vieux pour lui et un peu méprisants pour sa précocité qu'ils prenaient pour du cabotinage d'enfant élevé dans un milieu d'adultes. La seule idée qu'il lui fallait se séparer de ses livres d'école, même ceux qui lui en avaient fait arracher comme son manuel d'arithmétique ou son atlas auquel il avait beaucoup de difficulté à comprendre quoi que ce soit, le rendait malade. Il était passionné pour tout ce qui ressemblait à un livre depuis qu'il avait commencé à aller à l'école, tellement que la maisonnée avait fini par le trouver suspect parce qu'il était décidément trop jeune pour se promener d'un bout de l'année à l'autre avec un bouquin sous le bras comme un vieux savant lunatique.

Sa tante Albertine disait même de lui: «C't'enfant-là va avoir besoin de barniques avant d'avoir dix ans, certain! On n'avait pas assez d'un dérangé, dans'maison, non, y fallait qu'y nous en tombe un autre dessus!» Le dérangé, évidemment, c'était Marcel qui exaspérait de plus en plus sa mère avec ses niaiseries trop jeunes pour son âge et cette agressivité naissante qui l'inquiétait. La trop grande tranquillité de son neveu et l'agitation de moins en moins contrôlable de son fils la rendaient folle, alors elle engueulait les deux avec une égale injustice, passant outre aux avertissements de sa belle-sœur, la grosse femme, qui lui avait pourtant interdit de chicaner son enfant, et distribuant généreusement menaces et punitions, le doigt pointé et la mèche rebelle.

La gale mollissait sous sa langue et prenait un goût de sang pas du tout désagréable. Il la lapa à petits coups, comme un chat son assiette de lait.

La porte d'entrée de la maison s'ouvrit et un Marcel hilare, déjà débraillé et rouge comme une tomate, sortit sur le balcon en faisant un grand salut comme un clown à la fin de son numéro. Il avait probablement mis un point d'orgue au repas en faisant une niaiserie dont il était particulièrement fier. La voix d'Albertine éclata comme un coup de fusil, traversa la rue et alla se perdre dans les briques de la devanture des Brassard, en face : «...pus capable ! Pantoute ! Comment j'vas faire pour passer à travers de l'été ? Les vacances sont pas encore commencées pis chus à bout de nerfs ! Si j'le tue pas, c'est lui qui va m'achever ! » Marcel referma la porte, essuya les larmes qui lui coulaient sur les joues. Il appuya ensuite son front contre la vitre, reprenant son souffle comme s'il venait de courir.

«Est trop facile à faire fâcher, c'est quasiment pus le fun...»

Son cousin tourna la tête vers lui.

«Pourquoi t'es t'essoufflé de même, d'abord ?

— A' se fâche vite, pis a' court vite, la maudite ! »

Fier de sa rime, il repartit d'un rire que son cousin trouva un peu forcé, le dos bien arqué, la tête bien tendue par en arrière mais avec quelque chose de faux, quelque chose de cette mauvaise foi qu'il montrait dans tout ce qu'il faisait depuis quelque temps et qui tombait sur les nerfs de tout le monde. Il s'approcha ensuite de son cousin, allongea le pied jusqu'à toucher le sac d'école.

«Ça te fait de la peine, hein?

— Quoi, donc?

— Fais pas l'hypocrite avec moé! T'es aimes, hein, tes maudits livres? T'aimerais ça, les garder... J'te connais...»

Trop étonné pour trouver quelque chose à dire, l'autre ne répondit rien. Marcel vint s'asseoir à côté de lui. Son cousin se dit: «Ça y est, y s'est pas encore lavé à matin...» Il sourit quand même, un peu condescendant, regarda Marcel droit dans les yeux.

«Moé aussi j'te connais... Tu t'es pas encore lavé, à matin...»

Marcel le prit par le col de chemise, approcha sa tête de celle de son cousin. Il ne sentait vraiment pas bon et l'autre frissonna légèrement.

«C'est facile de deviner que j'me sus pas lavé à matin, ça prend rien qu'un nez! Mais c'est moins facile de deviner que tu veux pas te séparer de tes livres, parce que ça, ça se passe dans la tête! Es-tu capable de lire dans ma tête, toé, hein?»

Les yeux de Marcel avaient changé de couleur tout d'un coup, sans transition. Cette fois son cousin eut franchement peur. Deux boules jaunâtres le fixaient, un peu trop rapprochées parce que leurs visages se touchaient presque, ce qui lui donnait un air inquiétant d'animal paniqué. L'enfant de la grosse femme pouvait y lire cette folie qu'il lui arrivait de trouver belle lorsqu'elle était dirigée sur quelqu'un d'autre mais qui le terrorisait quand elle se déversait sur lui.

Il parla avec une prudence très calculée. Il ne fallait surtout pas perturber Marcel dans ces moments-là, il le savait très bien.

«Tes yeux sont jaunes, Marcel... Fais attention.

— Mes yeux sont pas jaunes!»

Marcel repoussa le petit garçon avec un geste d'impatience. Il fouilla dans son sac d'école qu'il avait posé à côté de lui, une vieille serviette en carton bouilli qui avait longtemps servi à son autre cousin, Richard, en tira un minuscule miroir rectangulaire qu'il avait volé à sa sœur Thérèse et s'y regarda intensément, le bougeant pour bien vérifier chacun de ses yeux.

«Mes yeux sont pas jaunes! Pourquoi vous dites toujours que mes yeux sont jaunes!»

Il se leva, dévala les marches en tenant sa serviette d'une main et son miroir de l'autre. Au bas de l'escalier, il se tourna. Le petit garçon trouva qu'il faisait vraiment pitié dans ses vêtements qui n'étaient pas les siens mais un ramassis de vieux linge dont personne n'avait plus besoin dans la maison: un pantalon de Philippe, un chandail de Thérèse jadis rose et que leur mère avait essayé de teindre en bleu, des souliers dont il avait oublié la provenance, le tout d'une propreté plus que douteuse parce qu'on trouvait régulièrement Marcel pelotonné dans un coin, étendu n'importe où, sous les lits au milieu des bilous ou derrière le sofa du salon. Il se rappela l'épouvantail du *Magicien d'Oz* qu'il était allé voir au Passe-Temps avec Thérèse, à Pâques, et pensa: «Un épouvantail. Y'a l'air d'un épouvantail. Un jeune épouvantail. L'enfant d'un épouvantail. »

Marcel le regardait avec un sourire de défi. « Ça y est, y va me dire quequ'chose de désagréable... » Marcel réfléchit bien avant de parler, sembla prendre le temps de choisir chacun de ses mots avec précaution, comme des bonbons empoisonnés.

« T'es pas tu-seul ! Moé aussi je l'ai vu arriver, t'sais ! » L'enfant de la grosse femme comprit que Marcel parlait de la seconde qu'il avait crue être son trésor à lui tout seul et frétilla sur la marche, comme s'il avait voulu se lever et se sauver pour ne pas entendre ce que son cousin avait à dire. Marcel s'excitait et parlait plus fort, plus vite. « Entre deux cris. Entre deux cris de moman j'ai vu l'été arriver. Mais moé j'avais eu le temps de le voir venir, j'avais eu le temps de me préparer, pas comme toé ! Depuis hier ! Je le savais depuis hier, moé ! J'avais été averti ! T'sais les larmes que j'essuyais, tout à l'heure... c'tait pas parce que moman m'avait fessé... c'tait parce que j'avais vu l'été arriver par le châssis de la salle à manger pendant qu'a' me fessait. J'me sus arrangé pour m'approcher du châssis, j'me sus accoté sur le calorifère, j'me sus collé le nez contre le screen, pis... C'tait beau, hein ? » Marcel monta une marche, puis une autre. « Tu me crois pas, hein, comme d'habitude ! Tu penses que t'es t'encore tu-seul à sentir les affaires ! » L'enfant de la grosse femme avait froncé le front comme chaque fois que Marcel lui racontait quelque chose d'extraordinaire. Il l'écoutait avec une grande concentration, suspendu à son souffle, buvant chacune de ses paroles, guettant la bouche lorsqu'elle s'ouvrait comme pour deviner ce qui allait en sortir ou sucer

19

avec ses yeux cette étrange nourriture, ces fameux bonbons empoisonnés, justement, qui le faisaient rêver depuis qu'il était tout petit : les divagations de Marcel, risée du quartier au complet mais qui le passionnaient, lui. Marcel monta encore quelques marches, presque menaçant. «Y t'a-tu salué, toé ? Non, hein ? Chus sûr qu'y t'a pas salué ! Ben moé, oui !» Il était maintenant à genoux sur une marche, tenant toujours son miroir et son sac d'école. «C'est moé que l'été a salué, comprends-tu ? C't'été-là est à moé ! À moé ! Pis c'est pas parce que tu m'as volé la première seconde que tu vas me voler le reste, okay !» Son cousin se leva lentement, descendit les quelques degrés qui les séparaient et vint s'accroupir devant l'adolescent qui avait commencé à trembler. «Que c'est que t'as vu, exactement ? C'tait-tu vraiment plus beau que c'que j'ai vu, moé ? Dis-moé c'que t'as vu, Marcel !»

Tout disparut du visage de Marcel, la colère, l'exaltation, le jaune brillant de ses yeux, ce pli qu'il avait au front quand il était au bord de vous dire quelque chose d'important. L'enfant de la grosse femme baissa les yeux, soupira. «Son visage s'efface. Y me dira pus rien.» Marcel remit son petit rectangle de miroir dans sa serviette, prit tout son temps pour en rattacher les sangles, ne broncha pas lorsque son cousin lui passa la main dans les cheveux. «Y'en a, là-dedans, hein ?» Marcel ne releva même pas la tête. «Oui, pis c't'à moé !»

Le grand traînait quelques pas derrière le petit. Ils n'avaient pas vraiment l'air de faire route ensemble mais lorsqu'un des deux tournait le coin d'une rue, l'autre le tournait aussi; lorsque le plus petit s'accroupissait pour renouer un de ses lacets, l'autre attendait, la tête penchée sur les craques du trottoir ou le nez dans un arbre. Jamais le plus grand ne rejoignait le plus petit pour marcher à sa hauteur. C'était un rituel immuable dont les règles, sûrement pas planifiées, s'étaient imposées d'elles-mêmes une à une, petite couche sur petite couche, parfois imperceptibles, parfois évidentes, mais que les deux enfants acceptaient toujours d'emblée, sans se poser de question. Quand avait-il été établi, par exemple, que le plus grand resterait toujours quelques pas derrière l'autre? Interrogés, les deux enfants auraient répondu que ç'avait tout le temps été comme ça, qu'ils ne s'en étaient jamais aperçus, à la limite que c'était faux parce qu'ils se rappelaient, une fois...

Marie-Sylvia, qui se faisait très vieille et qui commençait à fantasmer sur son enfance à la campagne du fond de son restaurant la plupart du temps désert, les appelait les oies même s'il n'y avait jamais eu d'oies sur la ferme de son père. Elle savait seulement que les oies se promènent en troupeau compact mené par un chef-oie — probablement une femelle, mais elle n'en était pas sûre — qui dirige tout son petit monde en prenant la tête du peloton. Elle disait au fantôme de Duplessis, son chat disparu par un matin de printemps de 1942 : «Tiens, les deux oies qui passent... J'comprendrai jamais pourquoi y marchent pas ensemble, sont cousins, pourtant! Tant qu'à ça, y'a pas grand-chose dans c'te maison-là qui est comprenable!»

Lorsque le plus petit était avec sa bande d'amis, Claude Lemieux, Carmen et Manon Brassard, l'autre Carmen, celle de madame Ouimet, ou les enfants Jodoin, le plus grand disparaissait ou, plutôt, ne paraissait pas du tout, comme s'il leur cédait la place quand il était sûr de ne pas pouvoir être seul avec son cousin. Mais ce matin-là, piteux, comme privés tous d'eux d'énergie, ils passèrent en face du restaurant de Marie-Sylvia qui balayait son bout de trottoir en se plaignant de ses reins qu'elle appelait ses rognons. La poussière s'élevait autour d'elle puis retombait pesamment, exactement à l'endroit d'où elle l'avait dérangée. Mais elle le faisait religieusement chaque matin, de mai à octobre, et était convaincue d'avoir le devant de porte le plus propre du quartier alors qu'elle n'en avait que les vêtements les plus poussiéreux. Marie-Sylvia s'immobilisa dans son nuage de saletés en les apercevant de l'autre côté de la rue, s'appuya sur le bout de son balai, le menton posé sur les mains. «Aïe, les oies! Vous avez pas l'air de deux enfants qui se préparent pour les vacances, vous autres!» Ils tournèrent la tête au même moment, levèrent la main dans un ensemble parfait pour la saluer, ne sourirent ni l'un ni l'autre. Marie-Sylvia les suivit des yeux avec une mine découragée jusqu'à ce qu'ils aient tourné le coin de la rue Gilford. «As-tu vu ça, Duplessis? Ça se peut pas de toute faire en même temps de même! Sont cousins, mais sont pas jumeaux! On a jamais vu ça, des jumeaux qui ont cinq ans de différence!» Elle reprit sa tâche en maugréant, les rognons en feu.

La rue Gilford était pleine d'écoliers bruyants de tous âges, des plus petits de première année qui ne savaient pas encore ce que signifiait le mot «examens» et qui ne comprenaient donc pas pourquoi ils étaient si nerveux, aux boutonneux de neuvième, les «grands», qui d'habitude terrorisaient les autres parce qu'ils étaient les plus vieux, les plus forts, les plus savants mais qui, en ce matin si important, se contentaient de faire du vacarme sans menacer qui que ce soit d'une binne sur l'épaule ou d'une claque derrière la tête. C'était bruyant, oui, mais vraiment pas comme d'habitude : une menace presque tangible planait sur ce petit peuple agité et banalisait en quelque sorte ce chemin de l'école trop souvent le théâtre d'un drame qui se dénoue — les batailles rangées entre bandes de garçons de rues ennemies n'étaient pas rares — ou d'une rivalité qui fleurit. Les garçons de la rue Papineau, de la rue Marquette, de la rue Fabre, de la rue Garnier se déversaient ainsi tous les matins dans la rue Gilford et les rencontres qui s'y faisaient n'étaient pas toujours heureuses.

Quant aux filles, elles, que les chicanes de gars n'intéressaient absolument pas, elles avaient depuis longtemps appris à emprunter le boulevard Saint-Joseph pour se rendre à l'école des Saints-Anges : elles traversaient la rue Gilford sous les sobriquets et parfois même les insultes des garçons qu'elles croisaient et continuaient vers le nord comme si elles n'avaient rien entendu. Elles se jetaient ensuite dans le boulevard Saint-Joseph en cris et en embrassades, se prenaient par la taille — sauf l'hiver, évidemment, où personne n'avait plus de taille à cause de l'ampleur des vêtements — et sautillaient vers l'école en se racontant n'importe quoi qui les ferait rire.

Les couples d'amoureux cependant, et il y en avait beaucoup à partir de la huitième année, se retrouvaient devant un sérieux dilemme : s'engager bravement dans la rue des gars et risquer que la fille arrive à l'école en pleurs d'avoir été moquée et humiliée — une fille qui se tient avec des gars c'est pas loin d'être une guidoune — ou bien monter jusqu'au boulevard des filles et risquer que le gars arrive à Saint-Stanislas rouge comme une tomate d'avoir été le point de mire de tant de femelles gloussantes et soupirantes quand il était beau ou moqueuses et cruelles quand il avait des oreilles en portes de grange trop importantes ou l'acné trop agressive.

Marcel et son cousin n'attirèrent donc pas l'attention des autres garçons en tournant le coin de la rue, ce matin-là, et l'enfant de la grosse femme en fut soulagé. Il vit Claude Lemieux qui l'attendait au coin de Garnier. Il lui fit un geste d'impuissance en montrant son cousin derrière lui et Claude disparut en courant vers l'école après avoir haussé les épaules d'impatience.

Et c'est là que le petit garçon réalisa qu'il avait oublié de traverser la rue Gilford avant de l'emprunter vers l'ouest. Ils allaient donc passer devant le 1474! Il se sentit perdu et s'arrêta pile au beau milieu du trottoir. Son cousin, pour une fois inattentif au moindre de ses gestes, se cogna contre lui et sembla sortir de sa torpeur pour se rendre compte à son tour de l'endroit où ils étaient. Sur leur gauche, un tout petit parterre — peut-être huit pieds sur huit — rempli de cœurs-saignants et ceinturé d'une courte clôture de métal peinte en noir enjolivait la devanture d'une maison autrement tout à fait ordinaire. Mais la vue de ce parterre pourtant innocent provoqua chez les deux petits garçons des réactions opposées : Marcel sourit et posa immédiatement les mains sur les épaules de son cousin alors que celui-ci se mit à se tortiller et à geindre comme un enfant qui fait un cauchemar. Marcel, de peur que l'autre se sauve, le ceintura solidement et nicha son menton dans son cou.

« On va aller faire un beau p'tit tour dans la forêt enchantée, okay ? »

Sa voix chatouilla désagréablement l'oreille de son cousin qui haussa la sienne en se débattant.

« On n'a pas le temps, Marcel ! On n'a vraiment pas le temps ! C'est les examens, à matin, y faut pas arriver en retard ! »

Un grand de neuvième les dépassa et ébouriffa les cheveux de Marcel.

« C'est pas le temps de vous embrasser, les amoureux, la cloche va sonner ! Ou ben donc allez vous-en su'l'boulevard, avec les moumounes ! »

26

L'enfant de la grosse femme se dégagea d'un coup de coude, courut quelques pas, mais fut aussitôt rattrapé. Cette fois l'étreinte était plus violente et il en eut le souffle coupé. La voix de Marcel était plus saccadée, aussi, et il sut qu'il arriverait à l'école en retard.

Marcel riait, maintenant.

«Tu sais ben que j'en ai pas, d'examens, moé, chus dans la classe auxiliaire! J'vas faire des dessins, comme d'habitude, pis y vont me mettre une belle note parce qu'y veulent pas que je reste trop longtemps là! Y vont se débarrasser de moé, mais pas toé!»

Le petit garçon se sentit soulevé, transporté; la clenche de la porte de la clôture fut débloquée d'un coup de pied, les gongs grincèrent, des bouquets de cœurs-saignants lui fouettèrent le visage et il se retrouva sur le dos dans la terre humide. Il sentait ses livres de classe contre ses omoplates et il se dit: «Y faut que j'reste su'l'dos, y faut pas qu'y me les ôte!»

Il avait connu la forêt enchantée bien malgré lui. Il savait depuis longtemps que Marcel avait une cachette quelque part dans le quartier, l'été, un dessous de galerie, un fond de cour ou un escalier de hangar où il passait des heures à rêvasser, mais il n'avait pas vraiment eu la curiosité d'en découvrir l'emplacement parce que l'existence même de ce refuge était pour lui un soulagement: pendant que Marcel rêvait dans son trou, il n'était pas obligé, lui, de le surveiller et pouvait en toute tranquillité rejoindre ses amis.

Marcel commençait à disparaître vers la mi-mai, aussitôt que les bourgeons éclataient. Il partait un samedi matin avec un sandwich aux confitures et un demiard de lait et ne revenait que tard dans l'après-midi, transfiguré, plus calme, presque gentil. Sa mère, qui aurait normalement dû s'inquiéter de cette disparition mais qui appréciait secrètement ces heures de paix, le chicanait pour la forme, sans grande conviction. Il lui disait: «Tu savais que je partais pour la journée, tu m'as même faite un lunch pis toute!» Elle lui répondait: «Chus t'inquiète pareil! Les parcs sont pas encore ouverts! Où c'est que t'as passé la journée, pour l'amour du bon Dieu, t'es plein de terre! Un enfant de ton âge, ça joue pus dans'terre!» Mais le lendemain il demandait un autre sandwich et elle s'exécutait sans poser de question.

Il se vantait souvent à son cousin de connaître un endroit absolument merveilleux dont personne d'autre ne pouvait soupçonner l'existence, une cachette inviolable, une forêt enchantée qui lui appartenait à lui tout seul et où tout était possible pour peu qu'on ait un brin d'imagination, un refuge où il ne pleut pas quand il pleut et où il ne fait pas trop chaud quand il fait chaud parce qu'on est à l'ombre, une bulle parfaitement ronde, parfaitement lisse, qui le coupait du reste du monde. Son vocabulaire se transformait quand il parlait de la forêt enchantée : il passait du langage limité qu'il employait avec la maisonnée et qu'il ne se donnait pas toujours la peine de bien articuler à une espèce de poésie très primaire mais colorée que son cousin, si sensible à la littérature, trouvait assez séduisante et qu'il lui enviait aussi un peu.

Un jour, par acquit de conscience, l'enfant de la grosse femme avait quand même fait le tour des bosquets du quartier, d'ailleurs peu nombreux et la plupart du temps chétifs et misérables, mais il n'avait rien trouvé parce qu'il avait plutôt regardé du côté des ruelles et des fonds de cour : jamais il n'aurait pensé que cet endroit unique, parfaitement imperméable au reste du monde et calme comme une tombe au dire de Marcel, pouvait se trouver en pleine rue Gilford, à quelques pieds à peine des autos qui passent en faisant un bruit d'enfer ou d'une grappe de fillettes qui jouent à «ciel, purgatoire, enfer». Il avait même fini par soupçonner que cet endroit n'existait pas vraiment; que Marcel errait dans le quartier pendant toute la journée, qu'il allait même jusqu'à sortir des limites du Plateau Mont-Royal —ce qui leur était formellement défendu à tous les deux, évidemment—, et que sa forêt enchantée n'était en fin de compte qu'une autre invention de cette trop bouillante imagination qu'Albertine reprochait à son fils depuis tant d'années. Il laissait donc son cousin délirer devant lui sur sa cachette et finissait toujours par lui dire : «Vas-y donc, grand niaiseux, dans ta forêt enchantée, si c'est si beau que ça!» La discussion était close. Marcel disparaissait dans les cinq minutes qui suivaient avec un petit sourire supérieur, l'enfant de la grosse femme allait rejoindre ses amis et finissait même par oublier pendant quelques heures l'existence de ce cousin bizarre dont il n'avait jamais su s'il l'aimait ou s'il le détestait et qu'il acceptait presque comme une injuste punition.

Cela durait jusqu'au début de septembre, jusqu'à la rentrée des classes, cette époque maudite, si belle pourtant, où on croit que tout est fini, qu'il n'y a plus d'été, alors qu'il reste encore un gros mois de beau temps avant que les feuilles rougissent tout d'un coup et que l'automne vous arrive en pleine face. Tout l'été, donc, Marcel se faisait discret dans la journée et laissait son cousin tranquille. Le soir venu c'était autre chose, évidemment. La maison était grande et les recoins nombreux. Et Marcel courait plus vite que l'autre.

Ce jour-là, donc, c'était en août de l'année précédente, Marcel avait tourné autour de son cousin tout l'après-midi. Pas moyen de s'en débarrasser. Le petit garçon avait tout essayé : les bêtises, les menaces alors que Marcel était beaucoup plus grand et beaucoup plus fort que lui, les supplications, les promesses de Mell-O-Roll ou de popsicle à l'orange... Rien n'avait fait bouger Marcel qui collait comme une mouche à marde. L'enfant de la grosse femme n'avait donc pas pu jouer avec ses amis qui ne voulaient rien savoir de Marcel qu'ils appelaient «pigeon» parce qu'on disait de lui dans le quartier qu'il avait l'allure et le cerveau d'un pigeon. Ils étaient donc restés seuls à errer dans la rue Fabre, d'escalier en escalier, de perron en perron, de carré de terre en carré de terre, de la rue Gilford à la rue Mont-Royal, le petit garçon excédé de l'insistance de son cousin, l'autre à la fois piteux et comme exalté par quelque chose qu'il aurait voulu partager mais qu'il n'osait pas exprimer.

Ils étaient accroupis au-dessus d'un plant de pissenlits qui avaient depuis longtemps monté en graine lorsque Marcel, à brûle-pourpoint, avait dit à son cousin : «On va-tu chez Guimond, j'ai quequ'chose à te montrer...»

«Chez Guimond» était un restaurant un peu du genre de celui de Marie-Sylvia, mais assez éloigné de la maison — il était situé au coin de Gilford et Brébeuf — et où les enfants de la rue Fabre n'allaient jamais non seulement parce que c'était loin mais surtout à cause du propriétaire, un bossu qui faisait peur aux enfants de la paroisse parce qu'il ne voulait pas de leur clientèle. Il prétendait que tous les enfants étaient des voleurs depuis qu'il avait un jour surpris Marcel avec une main dans le pot à outils en sucre et piquait invariablement une colère noire quand un être humain en bas de quinze ans se pointait dans son restaurant.

L'enfant de la grosse femme fut donc plus qu'étonné de la proposition de Marcel.

«Es-tu fou? Que c'est que tu veux aller faire chez Guimond? As-tu envie de revenir à'maison avec une gosse en moins?»

Marcel, qui avait montré à son cousin le mot gosse qu'il considérait comme l'un des plus amusants de la langue française — le mot testicule ne faisait pas encore partie de son vocabulaire et, de toute façon, il l'aurait trouvé pompeux —, Marcel partit donc d'un bon rire qui le retourna sur le dos dans le gazon mal entretenu des Sauvé. Son cousin fut soulagé de le voir rire; il avait peur, depuis le matin, que survienne une de ces crises inexplicables qui secouaient Marcel de plus en plus souvent, toujours précédées d'une période de mélancolie comme celle qu'il traversait depuis quelques heures. Albertine disait souvent: «Quand Marcel colle trop, sortez la cuiller en bois parce que la crise est pas loin!»

Marcel essuya ses yeux avec le bout de son chandail de coton bleu pâle, autre vestige de Thérèse et qui gardait encore un peu de son odeur.

«Si monsieur Guimond me coupait une gosse, y serait capable de la revendre comme si c'était une olive!»

Il repartit sur le dos, frappa la terre de ses deux pieds en poussant des cris de joie, roula dans le gazon. Son cousin le regardait faire, de plus en plus soulagé. Il se disait: «C'est ça, ris, tu vas finir par

oublier que chus là pis j'vas pouvoir me pousser!»
Cela dura assez longtemps, avec des moments qui
frisaient l'hystérie et d'autres où l'amusement de
Marcel se faisait plus détendu, moins frénétique.
Mais c'était assez hallucinant de voir quelqu'un se
tordre littéralement de rire pour une chose aussi
banale et l'enfant de la grosse femme fronça les
sourcils après un certain temps. «Y me semble qu'y
devrait en revenir, là!» Puis Marcel se calma peu à
peu avec de temps en temps des soubresauts de rire
qui semblaient le laisser épuisé. Il se tourna enfin
vers son cousin, encore rouge mais tout à fait revenu de sa crise.

«Ça fait du bien de rire, hein?»

L'enfant de la grosse femme arracha un brin
d'herbe, se le fourra dans la bouche.

«Ouan, mais c'est de valeur que tu rises rien
que pour des affaires niaiseuses.»

Il n'eut pas le temps de réagir que Marcel était
déjà sur lui. Il se retrouva sur le dos, comme en ce
matin de septembre, un an plus tard, avec le poids
de Marcel sur lui et un carré de ciel bleu où se
promenaient quelques nuages.

«Que c'est qui te fait rire, toé, hein? Les mé-
chancetés que le monde disent sur moé! Hein?»

Il était immobilisé, les poignets cloués dans le
gazon, les jambes entravées par les genoux de Marcel. Il se disait: «Ça y est, j'vas encore avoir des
bleus... moman va encore penser que j'me sus
battu...» Il prit une grande respiration, essaya de
sourire mais ses lèvres tremblaient un peu. Le brin
d'herbe s'était échappé de sa bouche et lui chatouil-

lait désagréablement la joue. Encore quelques secondes et il glisserait vers la narine droite. Le supplice. Il fallait trouver quelque chose à dire qui détournerait l'attention de Marcel, faire dériver la colère qui pointait, gagner du temps. Ou lui céder. Il céda en se disant que de toute façon monsieur Guimond ne les laisserait probablement pas entrer dans son magasin, surtout Marcel.

« C'qui me fait le plus rire, c'est la bosse de monsieur Guimond. Est tellement grosse qu'on dirait que c'est une deuxième tête ! »

Gagné. L'attention de Marcel avait été déportée vers leur sujet de conversation initial, une petite lueur d'amusement perçait déjà à travers ses prunelles assombries par la colère. L'étreinte se desserra, si rapidement même que l'enfant de la grosse femme se dit que c'était louche, que le but de leur marche n'était certainement pas le magasin de monsieur Guimond, que monsieur Guimond et sa bosse n'étaient qu'une défaite, une excuse pour Marcel, qu'il venait de tomber bêtement dans un piège qu'il avait vu venir mais qu'il n'avait pas su éviter. Aussitôt libéré il avait compris qu'il aurait mieux fait de rester cloué au sol tout l'après-midi plutôt que de suivre Marcel. Mais jamais, *jamais* il n'aurait pensé à se sauver de Marcel. Par le passé ses tentatives de fuite lui avaient coûté trop cher : ils vivaient dans la même maison, cette maison était très petite pour les quelque dix personnes qui y habitaient et les recoins où un animal de proie pouvait entraîner sa victime étaient malheureusement trop nombreux. Il aimait mieux payer maintenant, sans intérêts, en plein jour.

Cette fois-là, la seule, c'est le plus petit des deux qui avait suivi l'autre. Le plus grand le pressait, le traitait de lambin, courait quelques secondes vers la rue Gilford, revenait, sautillait sur place, si excité que son cousin eut la vision d'un condamné à mort — lui-même — qui se dirige vers l'échafaud (un bûcher du Moyen Âge? la guillotine? la marmite d'huile bouillante?) précédé d'un fou rouge et vert couvert de grelots et grouillant comme un singe. Il se prit à son propre jeu, arrondit les épaules, s'imagina tremblant de froid et de peur dans une bure rêche qui lui rougissait la peau, traîna un peu les pieds pour ne pas perdre les bandelettes sanguinolentes qui commençaient à se détacher, décollant des lambeaux de chair qui attiraient les mouches. Le ciel de France était bas, la foule qui sentait la sueur et les oignons tendait silencieusement le poing. Qu'avait-il fait pour mériter cette petite promenade à l'aube qui le conduisait vers son Créateur? Avait-il sauvé une princesse au bonnet pointu? Avait-il craché sur une quelconque effigie du roi? Était-il un héros du maquis — Robin Hood, oui, oui, oui, Robin Hood... mais on n'était plus en France et surtout pas au Moyen Âge! — enfin capturé et qu'on allait écarteler, décapiter, dépecer et donner en pâture aux chiens affamés pendant trois jours et trois nuits? Il s'hypnotisait lui-même, il détournait lui-même son attention de la réalité pour éviter de penser qu'il était à la merci de Marcel. Une fois de plus il choisissait le rêve parce que ce qu'il aurait à vivre dans les minutes qui allaient suivre ne lui plairait certainement pas. Il faisait toujours ça devant ses frères quand ils se transformaient en bourreaux, devant sa tante Albertine quand elle lui criait par la tête, devant sa mère quand elle essayait de le raisonner. Robin Hood n'était jamais très loin lorsqu'approchait un obstacle, ou Peter Pan quand il sentait qu'il faudrait vraiment s'envoler pour échapper à la tempête qui se préparait.

En tournant le coin de Gilford il sentit justement le besoin de se débarrasser des chaînes et du boulet qu'il traînait avec tant de difficulté, de se glisser dans le costume vert de Peter Pan et de s'envoler en riant : les galeries qui semblent rentrer dans la terre, les arbres qu'il frôle, les toits des maisons saupoudrés de garnotte, le ciel, enfin le ciel, plus d'attaches, la brasse dans les nuages, le crawl dans le grand bleu qui n'en finit plus, des plongeons, des culbutes, des vrilles... la liberté.

Quand il se laissa reprendre ses esprits après des cabrioles sans fin au milieu des oiseaux fous de joie de le voir se joindre à eux, il n'était pas devant le magasin de monsieur Guimond mais devant la petite clôture qui ceint le petit parterre de la petite maison du 1474 de la rue Gilford et Marcel venait de le prendre dans ses bras comme une jeune mariée à la fin d'un film américain. Il avait lancé un cri, un seul, assez chétif d'ailleurs, une sorte de protestation de chat déçu d'avoir été dérangé dans son sommeil. Et il s'était laissé entraîner dans la risible forêt enchantée de son cousin Marcel, le fou de la paroisse. Enfin, il allait savoir.

C'était frais, étonnamment, même, après l'humidité collante d'août. On était d'abord un peu étourdi dans la pénombre, étourdi de se retrouver à la fois dans le noir et à quatre pattes. On restait immobile, tout oreilles, on *écoutait* cet endroit suspect dont on n'aurait jamais pu deviner l'existence tant il était inattendu. On se disait bon, okay, y fait noir, y fait froid, j'ai un petit peu peur mais y faut que je fasse quequ'chose... Alors on allongeait un bras et on réalisait à quel point cet endroit était petit. C'était un peu rassurant. On touchait la clôture avec ses talons et la brique de la maison avec le bras étiré. À gauche, on devinait le balcon surélevé où les chats du quartier venaient pisser en paix (le nez vous retroussait tant ça sentait fort) ; à droite, la clôture encore, mais sale, jamais repeinte, rouillée, tordue par des dégels trop brusques, descellée du mur. Les yeux finissaient par s'habituer à la pénombre ; on levait la tête. Des grappes de cœurs-saignants vous frôlaient le front, c'était rose et vert avec de toutes petites taches de bleu quand un coup de vent venait écheveler le minuscule bosquet. On n'avait pas le choix, on se couchait sur le dos, ravi : c'était une tombe de fleurs qui vous coupait de tout et son charme était irrésistible. Ici, tout était possible. Surtout les rêves les plus fous.

Il comprit tout ça en quelques secondes, avant même de l'expérimenter : il se projeta en avant dans le temps, se vit aimer cet endroit sans commune mesure, y passer des heures, des jours, dans le ravissement, oublier tout, absolument tout, le beau et le laid de sa vie, pour se consacrer entièrement aux trésors de la forêt enchantée.

«Pousse-toé un peu, j'ai le nez dans ton fessier!»

L'enfant de la grosse femme sursauta. Il avait complètement oublié la présence de Marcel. Sa peur s'était évanouie d'un coup. Il se sentait bien. Il se poussa en tâtonnant, s'appuya de la main gauche sur le mur de la maison. La brique, froide, était couverte de mousse. Le soleil ne venait donc jamais jusque-là. Même en hiver? Il essaya de se rappeler la position de la maison par rapport au soleil. Non, effectivement, le soleil ne venait pas jusque-là, même en hiver. Peut-être une heure ou deux en fin d'après-midi... un petit soleil faiblard qui n'arrivait probablement même pas jusqu'à la brique à cause de la neige accumulée. Un mur vierge de soleil!

Il resta immobile pendant que Marcel se faufilait près de lui, bardassant les cœurs-saignants, négligent comme quelqu'un qui se sent chez lui et qui ne prend aucune précaution. Déjà trop présent dans sa propre cachette. L'enfant de la grosse femme comprit que la forêt enchantée ne serait jamais à lui. Il était en visite, une visite peut-être même unique : Marcel allait lui faire faire le tour du propriétaire en lui vantant les mérites de son fief pour ensuite le mettre à la porte, lui en défendant l'accès à tout jamais.

Une voiture passa dans la rue Gilford, un bruit de voiture, plutôt, parce qu'on ne voyait rien à travers les racines, les tiges, les branches qui étaient depuis longtemps montées à l'assaut de la clôture de métal. Il suivit le bruit des yeux, tourna même la tête vers la droite quand la voiture s'arrêta au coin de la rue Fabre pour stationner.

«J'ai pas pu venir pendant une semaine, au mois de juillet, parce que la femme s'est mis dans la tête de repeinturer la clôture! Maudite folle! A'l'a toute brassé pendant des jours, les fleurs tombaient partout, a' tachait toutes les branches avec d'la peinture noire, ça sentait le yable! J'avais assez hâte qu'a' finisse! J'avais surtout peur qu'a' décide de tout couper ça... A'l' en a parlé avec Marie-Sylvia... J'ai eu assez peur! Mais a' s'est tannée avant de finir sa job pis j'ai pu revenir...

— Est-tu vieille?

— Qui, ça?

— Ben, la femme...

— Tu l'as jamais vue? Est toujours assis sus son balcon.

— Non, j'ai jamais remarqué... J'ai jamais regardé... J'passe jamais icitte, l'été...

— Ben décide-toé! Tu passes jamais icitte ou ben donc si tu regardes pas quand tu passes?»

Le naturel de Marcel était revenu. L'enfant de la grosse femme ne prit pas la peine de répondre.

39

De toute façon, Marcel n'attendait probablement pas de réponse. Deux fillettes passèrent en chantant «Salade, salade, limonade sucrée; dites-moi le nom de votre cavalier...» sans corde à danser. Il les trouva bien niaiseuses.

«Oui. Est vieille. C'est pour ça que ça y'a pris tant de temps pour faire rien qu'un bout de la clôture... Est tellement croche qu'a'l' avait pas besoin de se pencher pour peinturer le bas de la clôture.» Il se tapa sur la cuisse. Son cousin haussa les épaules. «J'suppose que tu vas me dire qu'a'l' a pas besoin de se pencher non plus pour lacer ses suyers...» Marcel se pencha vers lui. «Icitte, c'est moé qui fais les farces! Chus chez nous!» L'enfant de la grosse femme s'appuya contre la brique froide. Le moment était venu. «Ben pourquoi tu m'as emmené icitte, d'abord?»

Cela avait commencé tout doucement; un murmure inaudible qui ne montait même pas jusqu'aux premières branches de cœurs-saignants, un chuchotis si doux, si bas, si peu articulé qu'il ressemblait à un vagissement de nouveau-né, une confession si difficile à exprimer qu'elle n'arrivait pas vraiment à prendre forme, ou alors c'était lui qui ne savait plus écouter. Non, il était convaincu qu'il savait écouter. Surtout ces choses-là que les autres avaient tant de misère à laisser sortir. Oui, c'était Marcel qui s'exprimait mal. C'était chuchoté et pourtant cela lui était adressé, alors il s'était penché vers son cousin pour mieux entendre. Il avait senti un peu plus l'odeur de transpiration que Marcel traînait toujours avec lui mais les mots, si c'étaient vraiment des mots, continuaient à lui échapper. Il devinait le profil de Marcel dans la pénombre, son beau front bombé qu'il lui enviait parce qu'il avait lu quelque part que c'était un signe de grande intelligence et même peut-être de génie, ses yeux fiévreux si intenses dans des moments comme celui-ci, le nez et la bouche jetés par en avant dans une perpétuelle moue boudeuse qu'Albertine appelait «le potte du poète» et qu'elle es-

41

sayait de corriger par des taloches bien placées. Il était tout près du profil de son cousin, peut-être à un ou deux pouces, et l'envie le prit d'allonger les lèvres, de les déposer sur la tempe qu'il devinait mouillée malgré la fraîcheur du lieu. Mais embrasse-t-on son cousin de douze ans sur la tempe sans le prévenir? Surtout quand celui-ci, après avoir hésité pendant toute une journée, consent enfin à s'ouvrir, à se livrer? Un baiser, aussi sincère fût-il, mettrait-il fin à tout? Marcel se tairait-il? Et la forêt enchantée? Allait-elle crever, bulle inconsistante, et se retrouverait-il sous l'escalier extérieur de la rue Fabre, vidé, exténué, brisé, comme à la fin de ses envolées? Il sentit quelque chose de chaud monter de son ventre, de plus bas que son ventre, même, envahir ses poumons, serrer son cœur. Des larmes lui montèrent aux yeux pendant qu'il disait dans un murmure à peine plus articulé que celui de son cousin: «Marcel, parle plus fort, j'entends rien.»

Les premiers mots qu'il saisit étaient des noms de couleurs: rose, violette, mauve. Il crut que Marcel parlait des cœurs-saignants, leva la tête. Une fleur lui chatouilla le nez. Du revers de la main il la chassa comme on se débarrasse d'une abeille. Elle tomba sur la cuisse de Marcel qui ne s'en aperçut pas. Puis un nom de ville: Florence. Florence, c'était en Italie, il le savait depuis peu parce que le frère Robert, à son retour d'Italie où il avait vu Pie XII en personne, avait dit que toute la ville de Florence était un musée et que les trente élèves de la quatrième année C avaient lancé un «Ouache!» unanime qui avait bien déprimé leur professeur. Peut-être Marcel parlait-il des couleurs de Florence... Mais pourquoi? Puis, tout à coup, un nom de premier ministre pourtant haï de leur famille au grand complet : Duplessis. Qu'est-ce que Duplessis venait faire à Florence ? Il faudrait qu'il vérifie dans *La Presse* si le premier ministre du Québec n'était pas en voyage en Italie... Tant d'hésitation, tant de mystère pour parler de Duplessis à Florence, franchement ! Il allait abandonner, s'éloigner de Marcel, sortir de la forêt enchantée en se moquant des prétentions de son cousin — après tout, cet endroit n'était en fin de compte qu'un parterre mal entretenu et pas enchanté du tout — lorsque Marcel tourna brusquement la tête vers lui. Leurs nez se touchaient presque. Il se dit qu'il n'avait jamais été si près du visage de quelqu'un d'autre, sauf peut-être de celui de sa mère quand elle se jetait sur lui pour lui mordre les joues qu'elle prétendait rouges comme des pommes d'automne. Il n'avait jamais vu un visage aussi bouleversé, aussi suppliant, non plus ; il ne savait même pas qu'un tel visage pouvait exister. Il recula, la brique entama sa chemise de coton, il sentit de petites pointes chaudes entre ses omoplates. «J'vas saigner...» Marcel avait baissé la tête. Plus rien ne sortait de sa bouche. Plus de couleurs, plus de ville, plus de premier ministre. «Y faut que j'y pose une question ! Y faut qu'y parle ! Y faut que je comprenne c'qu'y veut dire !»

Mais Marcel avait déjà relevé la tête. Et tout sortit d'un seul coup : toute sa folie, ou ce que sa famille prenait pour de la folie, tous ses rêves qui n'en étaient peut-être pas, tout ce qu'il avait vécu depuis dix ans, depuis sa petite enfance : les extases et les abattements, les moments de certitude et les doutes rongeurs, la vitalité et la torpeur, les cadeaux, les dons, les consolations de Rose, de Violette, de Mauve et de leur mère, Florence — enfin son cousin comprenait que ce n'étaient pas là des fleurs ni une ville mais... mais quoi? —, l'énergie qu'il avait en lui mais qui sortait toute croche parce qu'il n'avait pas la tête, parce qu'il n'avait pas l'esprit, parce qu'il ne trouvait pas le moyen de s'en servir, tout : ses leçons de piano, sa voix d'or, ses poèmes, toutes ces choses qui le rendaient si heureux tant et aussi longtemps qu'il restait dans la maison de Rose, de Violette, de Mauve, mais qui disparaissaient comme si elles n'avaient jamais existé aussitôt qu'il sortait de chez elles (il raconta dans ses moindres détails sa visite chez le marchand de musique, cinq ans plus tôt, l'humiliation que sa mère lui avait fait subir, mais son cousin n'y comprit rien), tout, oui, tout, surtout le chat Duplessis, leur grand amour, leur complicité, leur alliance définitive que rien normalement n'aurait dû perturber parce qu'on ne dérange pas la perfection. Cela dura longtemps, c'était soudain très bien articulé, dit, presque récité, avec une grande poésie, cela vous jetait dans un ravissement qui donnait tout son sens à l'existence de la forêt enchantée : l'enfant de la grosse femme comprit vaguement que cette caverne de cœurs-saignants était le seul endroit en dehors de la maison de Florence où le génie de Marcel pouvait s'exprimer. Il était écrasé de bonheur sous les images de son cousin qui faisaient crever le plafond de fleurs et courir dans le ciel d'été des canots d'écorce conduits par le diable en personne ou quelqu'un qui lui ressemblait étrangement, des turlutes démentielles, des tapements de pieds qui vous brassaient le cœur pendant que les violons vous étourdissaient, des symphonies complètes exécutées en une seule seconde et qui éclataient en une seule note universelle, des agencements de couleurs jetés comme des offrandes sacrées, des bouts de poèmes tellement beaux qu'on ne s'en remettait pas, qu'on ne s'en remettrait jamais, des chose d'une beauté qui foudroyait. C'était le visage de Marcel, maintenant, qui était près du sien, c'étaient ses yeux qui essayaient de lire dans les siens. La question était péremptoire, vitale, définitive : « Comprends-tu ? *Comprends-tu* ?

— Non. Mais continue. »

Et ça continuait. Pourvu que ça ne finisse jamais ! Pourvu qu'il trouve toujours des mots pour continuer, pour perpétuer, pour éterniser... le bonheur.

La source se tarit aussi vite qu'elle s'était manifestée. Marcel s'arrêta presque au milieu d'une phrase. En tout cas, son cousin n'en comprit pas les derniers mots. Ils restèrent tous les deux suspendus dans les airs, ils eurent tous les deux envie de tendre les bras vers l'autre pour demander de l'aide. Puis ce fut tout. Ça sentait de nouveau le pipi de chat et la clôture, à leur droite, était toujours grugée par la rouille.

Ils connurent dans le seul moment de communion mutuel de leur vie l'intensité désespérante d'un rêve qui se brise en morceaux irrécupérables. Leurs chemins s'étaient touchés au cœur de la forêt enchantée, ils allaient maintenant bifurquer, se séparer à tout jamais.

Ils se *virent* s'éloigner l'un de l'autre dans l'espace et dans le temps et portèrent au même moment leurs mains à leur bouche pour étouffer un cri de désespoir.

L'enfant de la grosse femme laissa passer un long moment avant de poser sa question parce qu'il savait que la réponse serait essentielle mais qu'il ne la comprendrait pas.

«Pourquoi tu m'as conté tout ça, aujourd'hui?»

Le cri de Marcel fut tellement désespéré que l'enfant de la grosse femme se dit que jamais, jamais plus il ne remettrait les pieds dans cet endroit, que jamais plus il ne toucherait à l'éternité, à l'absolu qu'il devinait dans la confession de son cousin:

«Parce que Duplessis commence à avoir des trous!»

Pendant près d'un an l'enfant de la grosse femme évita de passer devant la forêt enchantée. Qu'il fût entouré de ses amis ou suivi de Marcel, il ne tournait jamais immédiatement à gauche quand il arrivait au coin de Gilford et Fabre ; il traversait d'abord la rue Gilford puis prenait bien soin de garder la tête droite pour ne pas avoir la maison du 1474 dans son champ de vision. Marcel s'en rendait compte et son cousin entendait souvent un ricanement par-dessus son épaule, un tout petit ricanement à peine exprimé mais qui le bousculait comme si Marcel lui avait donné une grande tape dans le dos. Chaque fois il était renversé par ce rire méchant et se disait : « J'passerai pus par ici, j'vas aller à l'école par le chemin des filles... » Mais ses amis de garçons ne le lui auraient jamais pardonné et même les filles, qui l'adoraient pourtant, n'auraient pas vu d'un bon œil ce ti-cul sans blonde, donc sans raison, se mêler à leur groupe, à leurs fous rires, à leurs secrets pour se rendre à l'école. Il serait devenu une anomalie et aurait été montré du doigt. Quand il était avec les frères Jodoin et Claude Lemieux, il réussissait assez à s'étourdir pour oublier à peu près l'existence de la forêt enchantée, de l'autre côté de la rue, mais lorsque Marcel lui collait aux talons il sentait venir le moment où de petites notes rapides et moqueuses lui seraient plantées dans le dos comme autant de fléchettes empoisonnées.

Ils n'avaient jamais reparlé de Rose, Violette, Mauve, de Duplessis ou de la chasse-galerie. Marcel n'avait lancé qu'un seul grand cri de détresse qui était resté sans réponse parce qu'il l'avait voulu ainsi. Son cousin lisait dans ses yeux que le secret était scellé, que Marcel s'en voulait de cette soudaine faiblesse qui l'avait fait s'ouvrir à lui ; il avait vite compris que cette communion de quelques heures, au lieu de les rapprocher, les éloignait à tout jamais : Marcel avait crié au secours, puis avait couvert la bouche de celui qu'il appelait à l'aide parce qu'il ne voulait pas être sauvé. Ou qu'il savait qu'il ne pouvait pas l'être. Il avait soulevé un petit coin du remous qui l'habitait puis s'était tout de suite ravisé devant le partage. Mais au lieu de faire comme si cet après-midi d'août n'avait jamais existé, au lieu de choisir délibérément l'oubli, le silence complet, il ne manquait jamais une occasion, par son ricanement, de rappeler à son cousin que quelque chose de grand avait failli se passer entre eux qu'il avait, lui, choisi de tuer dans l'œuf. Ils n'en parlaient jamais mais c'était toujours là ; ça ne durait que quelques secondes et encore ça ne se produisait pas tous les jours mais quand la chose, le souvenir muet, le secret intraduisible se manifestait d'aussi méchante façon, au beau milieu d'une tempête de neige alors qu'on avait de la difficulté à avancer tant le vent était fort ou par une radieuse journée où le blanc de la neige et le bleu du ciel explosaient de joie, l'enfant de la grosse femme voulait mourir. D'humiliation, de honte et d'envie. Mais surtout d'envie.

Marcel, lui, cependant, n'était pas tout à fait convaincu que son ricanement ne s'adressait qu'à son cousin. Il avait souvent l'impression de rire de lui-même. Parce que lui non plus n'était jamais retourné dans la forêt enchantée et que la seule vue du 1474 de la rue Gilford le faisait saigner. Il avait fini son été à rôder autour sans jamais y pénétrer ; il avait vu les feuilles rougir, jaunir, tomber, il avait vu le lit qu'elles formaient en séchant, la vieille femme le ramasser au rateau pour en faire un tas au bord de la rue que des hommes lents et farceurs étaient venus chercher pour le faire brûler. Puis la neige avait couvert l'enchantement pour six longs mois. Mais même au printemps, même pendant le temps béni des lilas et du muguet où Montréal sentait la première communion, Marcel n'avait pas osé violer son ancien refuge. Il venait souvent se poster devant la clôture de métal mais ne la franchissait jamais. Il était devenu la sentinelle qui garde l'entrée après avoir été le maître absolu des lieux et ça le tuait.

Mais aujourd'hui c'était l'été et pour boucler la boucle ou peut-être pour ne plus entendre son propre ricanement, Marcel avait enlevé son cousin et franchi sans hésiter le seuil de son imaginaire.

« T'es trop pesant, Marcel, tu m'écrases...»

Marcel ne bougea pas. Au contraire, il poussa sur son ventre de toutes ses forces pour le gonfler et étouffer un peu plus son cousin.

«C'est pas toé qui fais la loi, icitte...

— J'ai même pas demandé à venir, c'est toé qui m'as emmené de force! Tout ce que je veux, moé, c'est aller passer mon examen, à l'école...»

Marcel parut franchement amusé. Son sourire lui plissa les joues et le front et l'enfant de la grosse femme se dit: «Mon cousin de quatorze ans est un petit vieux de quatre-vingts quand y veut...» Marcel secouait la tête comme le faisait la grosse femme lorsqu'elle était à la fois découragée et réjouie, il frottait sa langue sur son palais pour produire un désagréable «tut-tut-tut» exactement comme elle et son cousin se dit: «Mon cousin de treize ans peut ressembler à ma mère quand y veut...» La petite lueur jaune s'alluma dans les yeux de Marcel avant même que son visage change d'expression; pendant quelques secondes il fut à la fois un vieillard amusé, la grosse femme découragée et Marcel au bord d'une crise et l'autre petit garçon se dit : « Mais mon cousin de treize ans est toujours fou. »

Il ne voulait pas subir une crise de Marcel dans cette position précaire. Une fois de plus il fallait essayer de faire dévier la pensée de son cousin. Il prit une grande respiration, sentit les coins de ses manuels scolaires contre ses omoplates et des larmes lui piquer les yeux et dit en pensant à un pont, à un petit garçon sur un pont, à un petit garçon qui enjambe le parapet d'un pont et regarde venir à lui l'eau froide qui va l'engloutir : « Duplessis a-tu toujours des trous ? » Cette question lui trottait dans la tête depuis le mois d'août précédent. Il l'avait retournée dans tous les sens — il savait que Duplessis était un chat imaginaire qui parlait et qui avait même enseigné à Marcel une grande partie des choses qu'il savait, qu'une grande amitié les unissait depuis dix ans mais qu'est-ce que des trous venaient faire là-dedans ? —, il avait passé de longues heures nocturnes à essayer d'en percer le mystère, cela l'avait souvent mené au bord de ce qu'il croyait être la solution mais il se réveillait toujours en sursaut en se disant : « J'dormais ! Je l'ai trouvé en dormant mais j'm'en rappelle pus ! » Tantôt il imaginait Duplessis comme un gros fromage, tantôt comme la passoire à spaghetti que sa mère avait reçue en cadeau à Noël. Il voyait Marcel prendre Duplessis dans ses bras en passant ses doigts au travers et ça le dégoûtait tellement qu'il chassait cette idée de sa tête avant d'avoir franchement mal au cœur.

La claque qu'il reçut en plein visage le fit revenir tout à fait à lui : plus de pont, plus de parapet, plus d'eau, plus de fromage ni de passoire, seul le

51

visage de Marcel maintenant grimaçant de façon inquiétante. Pendant que la brûlure lui rougissait la joue, des mains l'agrippèrent par les épaules, il se sentit soulevé, puis rejeté par en arrière, les coins de ses manuels scolaires lui coupèrent la respiration et il entendit sa tante Albertine chuchoter sur le balcon de la maison de la rue Fabre, quelques soirs plus tôt, alors qu'elles sirotaient un coke, elle et la grosse femme, sans se douter qu'il les écoutait, lui qui écoutait toujours tout le monde : «J'ai peur qu'y devienne violent. J'vois ça venir dans ses yeux. Pis chus sûre qu'y pourrait toutes nous détruire.»

Marcel avait approché sa bouche de la sienne, son haleine était très désagréable mais l'enfant de la grosse femme endurait tout parce qu'il croyait son cousin au bord d'une importante révélation. Marcel n'arrivait toutefois pas à parler exactement comme l'année précédente : des mots qui ne sortaient pas, des sons inarticulés qui ressemblaient à des couinements de bébé qui rêve lui venaient aux lèvres, ses yeux, de colériques qu'ils avaient été quelques secondes plus tôt étaient maintenant suppliants comme s'il avait exhorté son cousin à parler pour lui, à trouver les bons mots, à les articuler, à les mettre dans le bon ordre en formant une fois pour toutes la phrase libératrice que tous deux attendaient depuis si longtemps. Et c'est exactement ce qui se produisit. Sans même comprendre ce qu'il disait, sans surtout savoir d'où venait cette phrase qui sortait de la mauvaise bouche, l'enfant de la grosse femme se dit à lui-même avec la voix de Marcel, une contrefaçon de la voix de Marcel : «Les trous ont tout mangé Duplessis, j'vois juste ses yeux, à c't'heure !»

Il sentit le soulagement de Marcel comme s'il avait été le sien et pendant une fraction de seconde il vit Duplessis, trois images de Duplessis plutôt, un chat pourtant mort depuis dix ans : d'abord un superbe matou tigré, souriant, oui, souriant dans sa direction, un animal adorable, absolument irrésistible devant lequel on avait envie de déposer sa vie parce qu'on savait qu'il pourrait en faire quelque chose, lui ; puis cette chose étrange, un chat, le même, au travers duquel on pouvait voir parce que des trous, de vrais trous, étaient apparus, comme si quelque chose le rongeait de l'intérieur, quelque chose qui ressemblait à de la déception parce que quelqu'un qui ne pouvait être personne d'autre que vous-même l'avait trahi ; enfin deux yeux avec quelques poils autour et un museau mouillé au bout et, par-dessus tout ça, deux oreilles pointées. C'est tout. Le reste avait été mangé. Toujours par la déception, par la trahison. Une langue passait sur le museau et on avait envie de faire pareil. Mais le sourire lui aussi avait disparu et votre cœur fondait parce que quelque chose qui ressemblait à une voix toute cassée vous disait : « Tu me désappointes. Tu me désappointes tellement. »

L'image s'envola de son esprit et l'enfant de la grosse femme se rendit compte qu'il serrait son cousin de toute la force de ses petits bras de garçon de neuf ans. De l'eau lui coulait dans le cou. Un peu de morve, aussi. Un sanglot saccadé, brisé, montait au milieu des cœurs-saignants : « J'm'ennuie de lui, si tu savais comme j'm'ennuie de lui ! C'était ma vie ! Y'avait juste lui qui comptait ! » Et il s'aperçut qu'il s'ennuyait lui aussi d'une chose, un chat, qu'il n'avait jamais connu mais qui était absolument essentiel à sa survie. Il appuya la tête contre celle de son cousin, colla son oreille contre celle de l'autre garçon, peut-être dans l'espoir d'entendre les merveilles qui s'y cachaient.

L'école, la restitution des manuels scolaires, les examens, plus rien n'existait qu'un très grand malheur vécu par un petit garçon à la tête trop faible.

Il s'étira sur le bout des pieds pour regarder à l'intérieur de la classe. Le calme relatif qui y régnait d'habitude avait fait place à un va-et-vient de garçons joyeux qui venaient jeter au pied de leur professeur la source de leurs maux de tête, l'objet de leur ressentiment, la cause d'une grande partie de leurs punitions : les manuels scolaires. Le frère Robert se tenait donc debout au milieu d'un amoncellement de livres aux couvertures rouges, vertes ou grises, auxquels on venait d'arracher les enveloppes de papier brun qui gisaient n'importe comment autour des pupitres.

Dès qu'ils entendaient leur nom, ils enjambaient les papiers salis de taches grasses, déchirés, maculés d'encre, couraient vers le professeur, se débarrassaient une fois pour toutes du manuel de mathématiques, de l'atlas de quatrième année, du petit catéchisme ou de la grammaire française abhorrée et revenaient à leur place, allégés, soulagés, souriants. On reconnaissait d'ailleurs la personnalité de chacun à la façon qu'il avait de se débarrasser de ses livres. Yves Trottier, le dernier de la classe mais aussi le plus baveux, qu'on disait digne des grands de neuvième tant il avait du front, arborait un petit sourire condescendant et lançait atlas et grammaire sur le mur pour être bien certain de les rendre inutilisables pour les élèves de quatrième qui allaient lui succéder l'année suivante ; Michel Daniel, le plus malingre des trente élèves et dont on ne savait jamais si son prénom était Michel ou Daniel, déposait chaque livre après l'avoir bien essuyé sur sa chemise blanche qui ne l'était plus qu'aux manches et dans le dos ; Claude Lemieux, le plus beau garçon de toute l'école et à qui on en voulait d'être si beau, se mettait de profil à la classe avant de se pencher, de peur de recevoir un coup de pied au derrière ; Robert « toutoune » Quevillon, le doux obèse au souffle court dont certains manuels scolaires portaient des traces de dents (oui, oui, oui), incapable de se pencher ou trop paresseux pour le faire, étirait les bras, ouvrait les mains et écoutait avec ravissement les livres atterrir sur le plancher.

La cérémonie, l'une des plus appréciées de l'année scolaire, achevait et l'enfant de la grosse femme en fut ravi : il détestait, lui, remettre ses livres d'école et avait toujours rêvé de les garder même si c'était défendu. Et surtout impossible.

Il ne serait jamais allé jusqu'à les consulter pendant l'été s'il les avait gardés, non, les vacances c'est les vacances, mais de les savoir là, à portée de la main si jamais il en avait besoin, pleins de tout ce qu'il avait appris dans l'année et de ce qu'il essaierait d'apprendre l'année suivante l'aurait réconforté. Il aimait l'école, ne s'en vantait évidemment pas et l'idée que quelque part sous son lit ou sur la tablette du bas de la bibliothèque de ses frères où il gardait ses livres, un morceau de l'école attendait sagement que vienne septembre aurait apaisé ces débuts de nuits d'été où il se sentirait si petit, si insignifiant.

Il tira la porte de la classe le plus doucement possible mais le frère Robert s'en aperçut et s'arrêta au beau milieu du nom de François Wilhelmy, le plus cancre des cancres de la classe, ce qui donna à peu près : «François Willll...». Toutes les têtes se tournèrent vers lui. Il se tenait dans l'encadrement de la porte, échevelé, la chemise à demi sortie de son pantalon court, un peu de terre sur les bras. Il s'attendait à l'éclat de rire qui s'éleva dans la classe mais pas à la réaction du professeur qui se contenta de dire : «Vous ressemblez à votre cousin, à matin... Allez à votre place, vous passerez après tout le monde» avant de continuer sa nomenclature. Il se dirigea vers sa place, se débarrassa de son sac d'école, l'ouvrit, le vida méthodiquement pendant que les autres élèves continuaient à monter et descendre les allées de la classe.

Il s'assit après avoir empilé ses livres sur son pupitre et commença à en arracher les couvertures de papier brun que son père l'avait aidé à couper, plier, coller, en septembre de l'année précédente. La tache d'encre *South Sea Blue* au bas de son livre d'Histoire du Canada lui fit monter les larmes aux yeux. Il avait détesté cette tache quand il l'avait faite quelques semaines auparavant mais maintenant ça lui crevait le cœur de s'en séparer : «Tu vas quand même pas te mettre à brailler pour une tache d'encre, franchement!» Il chiffonna le papier, le jeta loin de lui et se rendit compte que ce n'était pas du tout la tache d'encre qui le mettait dans cet état. Il revit le profil de son cousin, le malheur qui avait rôdé dans la forêt enchantée pendant la confession de Marcel et se dit que sa vie à lui venait d'être coupée en deux, qu'il était quelqu'un d'autre depuis quelques minutes, quelqu'un qu'il n'avait pas envie d'être parce qu'il n'y était pas préparé. Il n'était pas préparé au malheur, au vrai malheur et le désespoir de Marcel l'avait grandement ébranlé. Jusque-là il avait vaguement cru que le malheur ne se trouvait que dans les livres ou à la radio dans les romans feuilletons qu'écoutaient sa mère et sa tante de dix heures le matin à deux heures de l'après-midi, mais voilà que quelqu'un de très près de lui, quelqu'un qui le fascinait mais qu'il avait toujours eu tendance à juger de haut, lui mettait sous le nez un drame incompréhensible, trop grand et qu'il devinait sans issue.

Il sentit une main sur son épaule gauche. Claude Lemieux fleurait toujours la banane, le matin. Été comme hiver, sa mère lui donnait comme déjeuner un lait à la banane qui lui restait sur l'haleine jusqu'au repas du midi, d'où le surnom de «Banana Split» dont l'avait affublé l'école au grand complet. Il répondait à qui voulait l'entendre : «J'aime mieux sentir la banane que l'haleine, comme vous autres!», ce qui mettait d'ailleurs un point final à toute discussion parce que les petits garçons de l'école Saint-Stanislas n'étaient effectivement pas très portés sur la brosse à dents, le matin.

«T'es donc ben en retard! Aïe, une demi-heure! Pis t'es tout sale dans le dos! On dirait que quelqu'un t'a traîné par les pieds jusqu'icitte!»

La voix du frère Robert s'éleva un peu plus haut.

«Lemieux, la belette, à votre place! Y me semble que j'me sus pas entendu dire que c'était le temps du papotage...»

D'autres rires.

Claude Lemieux s'en alla se rasseoir à sa place sous les moqueries des autres élèves, surtout Robert Quevillon qui trouvait qu'il avait l'air d'une fille et qui ne ratait jamais une occasion de le lui rappeler.

«T'es donc ben belle, ma banana split, à matin! Viens icitte que j't'la splitte, ta banane... A' pourra pus servir à grand-chose...»

L'enfant de la grosse femme avait fini d'enlever les couvertures de papier et regardait ses livres empilés devant lui. Son nom n'avait pas encore été appelé. Il attendait. Il les déposerait doucement, comme des objets précieux; il leur ferait un dernier adieu, même à l'atlas, et les quitterait avec regret... Il se rendit soudain compte qu'il n'y avait plus de bruit dans la classe depuis quelques secondes et leva la tête. Le frère Robert était à côté de son pupitre, les poings sur les hanches.

«À c't'heure que tout le monde a fini, vous allez peut-être nous faire l'honneur de nous remettre vos manuels scolaires... qui sont moins sales que votre chemise pis votre pantalon, j'espère...»

L'enfant tourna brusquement la tête vers la fenêtre. Ah! Peter Pan! Viens à mon secours! Aide-moé! Il se vit s'envoler avec ses livres d'école sans en échapper un seul et les cacher... les cacher...

59

dans la forêt enchantée où il savait que personne jamais ne viendrait les chercher... Il le fit presque. Il eut un geste, plus qu'un geste, un mouvement vers la fenêtre grande ouverte sur les arbres du boulevard Saint-Joseph. Il se sentit basculer, son cœur arrêta de battre pendant quelques secondes à cause du vertige de se retrouver tout à coup dans le vide... Le ciel est creux... les livres lourds... Et s'il laissait tomber une pluie de livres sur le boulevard Saint-Joseph! Le frère sembla avoir la même idée que lui parce qu'il posa une main sur son épaule comme pour le retenir de s'envoler et de laisser choir sur la tête des passants des atlas, des dictionnaires et des grammaires qui les assommeraient.

«J'vous ai pas demandé de pitcher vos livres par le châssis, contentez-vous d'aller les porter en avant...»

Il fut plus le spectateur que l'exécutant de la scène qui suivit: il se vit se lever lentement, exactement comme s'il était quelqu'un d'autre, prendre tous ses livres à bras le corps, se diriger vers le podium autour duquel gisait tout le savoir du monde, ouvrir ses bras pour se déposséder d'un seul coup. Il se vit rester immobile au milieu des livres et penser à Marcel qui devait déjà être en train de dessiner un chat au lieu de faire ses adieux à ses livres comme il avait projeté de le faire. Il se dit tiens, au lieu d'être malheureux parce que j'me sépare de mes livres, j'ai de la peine parce que mon cousin dessine un chat avec des trous. Le frère était derrière lui, tout près, trop près. Ça sentait le frère et il eut un mouvement de dégoût.

«Vous êtes vraiment ben sale dans le dos ! Vous vous êtes couché dans la terre au lieu de venir directement à l'école? Quelle drôle d'idée! Une gajure de fou, ça, encore!»

L'enfant de la grosse femme fit comme Marcel. Il ne prit pas la peine de se retourner pour répondre.

«Ouan, pis j'ai failli m'endormir, tellement j'étais mieux qu'ici!»

Il s'attendait à une claque derrière la tête; elle était inévitable. Son oreille rougit d'expectative exactement comme si la claque avait eu lieu.

«Vous êtes chanceux d'être un premier de classe, sinon vous vous retrouveriez dans le bureau du sous-directeur, pis pas d'examen après la récréation!»

Mon Dieu, les examens!

Il n'avait jamais signé un seul dessin de son nom. Un chat, toujours le même, apparaissait invariablement au bas de chaque dessin qu'il remettait à son professeur; un chat tigré, parfois en couleur, parfois au crayon noir selon l'humeur de Marcel, debout, couché, le dos arrondi ou assis avec la queue enroulée autour de ses pattes de derrière, mais reconnaissable à cette espèce de sourire qui illuminait sa tête, une légère modification dans l'esquisse du museau qui donnait vraiment l'impression que ce chat souriait. Il vous regardait, aussi. Intensément. Comme pour vous demander ce que vous pensiez du dessin tout en s'en moquant éperdument.

Le frère Martial, qui s'occupait de la classe auxiliaire depuis toujours au dire de ses confrères (en fait, il en avait été l'instigateur inspiré au début des années quarante), avait suivi l'évolution de ce chat avec passion. Ça avait d'abord été un chat mal venu, carré, aux jambes filiformes et à la queue étrangement absente auquel Marcel donnait souvent plus d'importance qu'au dessin lui-même, comme s'il était toujours le vrai sujet, ce vers quoi l'attention devait se porter. Pendant toute sa première année dans la classe auxiliaire — en fait sa cinquième parce qu'on venait juste de se rendre compte qu'il n'apprendrait jamais comme les autres élèves —, il avait relégué le sujet imposé par le professeur dans le coin supérieur droit de la feuille pour donner la prépondérance au gros chat qu'il dessinait si mal mais qui souriait déjà si bien.

Questionné sur la signification de ce chat, Marcel répondait invariablement et sur un ton péremptoire : «C'est Duplessis. C'est mon ami.» Le frère Martial n'avait jamais pu en tirer plus. Au fil des mois et des années le chat avait pris sa vraie place de signature et le frère Martial avait cessé d'en parler, tout en suivant son évolution de très près. Au fur et à mesure que le chat rapetissait sur la feuille pour céder la place aux arbres, aux maisons, aux autres animaux, rarement aux humains, ses formes devenaient plus précises, plus réalistes, aussi. Et au moment où la signature avait été le plus petite, vers la fin de l'année scolaire précédente, elle ressemblait à l'ébauche d'un très beau timbre-poste naïf que le frère Martial s'était d'ailleurs permis de soumettre à un concours provincial de dessin où elle avait été refusée parce que trop petite.

Le professeur avait demandé à son élève : «Pourquoi vous me faites pas un beau gros dessin de Duplessis, un beau dessin qui prendrait toute la feuille ?»

Et Marcel lui avait répondu : «Vous, si on vous demandait de signer votre nom en gros sur toute une feuille, accepteriez-vous ?»

Mais voilà que pendant toute l'année scolaire qui s'achevait cette semaine-là, le chat de Marcel s'était étrangement transformé en reprenant de l'importance par rapport au reste du dessin : l'ébauche en était redevenue enfantine et, surtout, ce que le frère Martial avait pris pour des taches était apparu un peu partout sur le corps de l'animal. Les rayures avaient presque disparu au profit de ronds irréguliers qui donnaient à Duplessis un côté sauvage des plus étonnants. Le professeur s'était d'abord demandé si Marcel n'avait pas vu la photo d'une panthère dans *La Presse* ou *La Patrie* puis, à une phrase de Marcel qu'il avait surprise pendant la récréation, il avait compris que ce n'étaient pas des taches mais des trous. Duplessis commençait à avoir des trous. Intrigué, il avait essayé de faire parler Marcel, le plus subtilement possible, évidemment, pour ne pas l'effaroucher, mais l'adolescent se dérobait toujours par une boutade : « J'ai le droit de mettre des trous où je veux, non ? » ou un silence renfrogné.

Mais pendant le mois de mai et le mois de juin Duplessis s'était presque effacé. Et la veille le frère Martial avait trouvé au bas du dessin de Marcel un museau, deux yeux, deux oreilles pointues et une moustache.

Marcel fut le premier à venir porter son dessin, exactement cinq minutes avant le début de la récréation. Il était pourtant arrivé une bonne demi-heure en retard et avait donc commencé à travailler longtemps après tout le monde. Mais il avait dessiné à grands traits, presque fiévreusement, avec des gestes brusques qui avaient étonné le frère Martial ; il avait même poussé quelques soupirs en se redressant sur son pupitre, comme pour ponctuer son mécontentement ou sa frustration de ne pouvoir rendre comme il le voulait le sujet qu'il avait choisi d'illustrer. Il donnait l'impression de vouloir se débarrasser, se libérer de quelque chose qu'il n'arrivait pas à exprimer en image. Son sujet lui résistait et sa rage était évidente.

Il retourna sagement à sa place après avoir posé son dessin sur le bureau du professeur et leva les yeux vers l'horloge qu'il fixa, immobile, les mains posées à plat sur son pupitre. Le frère Martial savait qu'il ne les baisserait pas tant que la cloche de la récréation n'aurait pas sonné.

C'était un beau dessin. Et, étonnamment, c'était un dessin pleine page et d'une très grande douceur. Le frère Martial s'était attendu à une œuvre violente, torturée, et se retrouvait devant quelque chose qui, à première vue, dégageait non pas la rage qu'il avait devinée chez son auteur pendant qu'il l'exécutait mais une apparente placidité qui le laissait perplexe. Ça représentait un parterre vu de face et de très bas, comme si l'œil du témoin se trouvait à la hauteur de la marche du trottoir. Une vieille clôture de métal se battait avec de trop nombreux plants de cœurs-saignants qui semblaient vouloir l'étouffer. À droite, on devinait un début de balcon et en haut le bas d'une fenêtre. Tout était en place, les proportions étaient bonnes et les couleurs ravissantes mais une drôle d'impression se dégageait de ce dessin, comme si le vrai sujet en avait été volontairement escamoté. Cette clôture et ces plants de cœurs-saignants cachaient le vrai sujet qui se trouvait donc quelque part au milieu de ce si beau parterre. En dessous du dessin. Ce n'était pas un dessin, c'était un paravent.

Le frère Martial regarda Marcel. L'adolescent était toujours perdu dans la contemplation de l'horloge. Il avait tout oublié, le dessin qu'il venait de faire et où il se trouvait en ce moment. Seule la sonnerie pourrait le faire sortir de sa torpeur. Comptait-il les minutes, les secondes qui le séparaient de la récréation comme certains de ses camarades le faisaient si souvent en pensant que le temps passerait plus vite? Non, il donnait plutôt l'impression d'être réfugié à l'intérieur même de l'horloge, d'être lui-même devenu le temps qui passe.

Le professeur eut alors un geste involontaire qu'il trouva curieux mais qu'il ne put réprimer: il leva la feuille et essaya de regarder au travers en la plaçant entre ses yeux et la fenêtre. Marcel avait-il d'abord fait un premier dessin qu'il avait ensuite caché avec cette représentation d'un parterre qui lui ressemblait si peu? Un petit rire le fit sursauter. Marcel n'avait pas bougé. Mais Monique Gratton, la seule élève de la classe auxiliaire plus âgée que lui, regardait le professeur avec une joie non dissimulée. En fait elle riait franchement de lui et il prit conscience du ridicule de son geste. Il reposa le dessin sur sa table. Et se rendit compte qu'il n'était pas signé. C'était le premier depuis qu'il connaissait Marcel. Pas de chat nulle part, même pas celui mangé aux mites qui avait pris tant d'importance dans les dessins de Marcel depuis quelques mois, même pas les détails de tête qu'il avait trouvés la veille. Le chat avait complètement disparu et le dessin repris la place prépondérante, couvrant même totalement la feuille pour la première fois.

Quand la cloche de la récréation résonna partout dans l'école, les élèves de la classe auxiliaire se précipitèrent vers le pupitre du maître sans attendre son signal et le frère Martial se retrouva avec des dessins à moitié terminés, parfois même à peine ébauchés, et tous plus inintéressants les uns que les autres parce que pour la plupart de ses protégés le dessin était une corvée quotidienne dont ils avaient appris à se débarrasser le plus vite possible; on lui remit même une feuille blanche sur laquelle l'élève, toujours la même Monique Gratton, nulle en dessin et fière de l'être, avait eu le front d'écrire, en toutes petites lettres : si vous vouler voire mon dessin regarder a travair la feille... Six fautes en onze mots, une très bonne moyenne pour elle.

Curieusement, Marcel n'avait pas bougé. Il ne regardait plus l'horloge, il se contentait de se tourner les pouces, se faisant le plus petit possible derrière son pupitre situé au fond de la classe, espérant probablement se faire oublier. Mais pourquoi ? D'habitude il était le premier à passer la porte en criant : « C'est moé qui pisse le premier ! »

Le frère Martial prit le dessin de Marcel et se dirigea vers lui en toussotant dans son poing. Marcel le regarda venir les yeux éteints, comme si son cerveau n'enregistrait pas vraiment que quelqu'un s'approchait de lui. Le professeur déposa la feuille sur le pupitre. Marcel ne bougea pas, sauf pour ses yeux qui retournèrent vers l'horloge.

Le silence fut assez long entre eux. Par les quatre fenêtres ouvertes on entendait l'école primaire Saint-Stanislas au grand complet hurler de nervosité à cause de l'angoisse du premier examen qui venait tout de suite après la récréation. Les coups de sifflet avertisseurs du frère sous-directeur étaient plus nombreux parce que les grands de neuvième plus baveux avec leurs cadets ; les galopades du jeu de drapeau se faisaient plus rapides, les injures entre camps ennemis étaient échangées sur un ton plus strident et les cris de victoire quand un point était compté s'élevaient dans la cour d'école avec une énergie qui frôlait l'hystérie. Quatre cents enfants se défrustraient avant de passer au redoutable test du savoir et de la mémoire.

Ce fut Marcel qui brisa le silence. C'était une simple constatation qu'il faisait et sur un ton badin mais le frère Martial sentit une grande désolation dans ces simples mots, quelque chose qui s'approchait très près d'un désespoir trop longtemps contenu : «On n'a pas ces problèmes-là, nous autres, dans la classe auxiliaire, hein? On n'a pas besoin d'être nerveux, on n'a pas d'examens... Qu'est-ce qu'on va faire, après la récréation? Un autre dessin? Pis après-midi aussi? Pis l'année prochaine, quand j'vas être en neuvième, j'vas-tu encore faire des dessins? Quand j'vas sortir d'icitte, j'vas-tu juste savoir dessiner?»

Il tourna la tête vers le professeur qui s'était penché pour bien saisir ce qu'il lui disait.

L'odeur de sueur qui se dégageait de lui était caractéristique, la couleur des yeux, aussi, et un peu de bave avait commencé à couler sur le menton de Marcel. Le frère Martial sursauta, puis se redressa. Il avait eu plusieurs élèves atteints de ce mal mais il avait toujours ignoré que Marcel en était aussi affligé. Les yeux du garçon se révulsèrent, son corps se tendit et se mit à trembler. Le frère Martial prit un crayon sur le pupitre et l'inséra entre les dents de son élève.

«Mordez dans le crayon, Marcel, laissez-vous aller, j'vas vous tenir...»

Ce fut une crise courte mais très violente. Le frère Martial avait pris Marcel dans ses bras, l'avait serré contre lui. Les soubresauts du corps maigre de Marcel, ses ahanements saccadés, la raideur de ses muscles au moment culminant de la crise le bouleversèrent tellement qu'il se mit à sangloter dans le cou de son élève. Puis il comprit qu'il empêchait Marcel de respirer normalement et le coucha sur le plancher de la classe. Les talons de Marcel faisaient un petit bruit de flaque d'eau en frappant le plancher. Comme il était pâle. Et mince. Un feluette qu'il serait si facile d'étouffer... Le crayon s'était cassé en deux dans la bouche de l'adolescent. La crise achevait. Le professeur retira les deux bouts de crayon. Marcel se détendit et sembla sombrer dans un profond sommeil qui ne dura cependant que quelques minutes, le temps pour le frère Martial d'aller respirer un peu d'air à la fenêtre, d'entendre la cloche de la fin de la récréation, de regarder les élèves prendre leurs rangs dans un silence approximatif. Quand il se retourna, Marcel, assis par terre, était appuyé dans un coin de la classe et s'essuyait la bouche en grimaçant et en geignant comme un petit enfant qui vient de vomir.

«Vous pouvez retourner chez vous, Marcel. Vous reviendrez juste lundi... si vous allez mieux.

Marcel se leva en se tenant au dossier de la chaise de son pupitre.

«Faites-vous-en pas pour moé, j'vas aller mieux après-midi. Ça dure jamais longtemps. Quand c'est fini, c'est fini ; on dirait qu'y'a jamais rien eu... Chus juste un peu fatiqué.»

Le frère s'assit sur un des pupitres près de la fenêtre.

«Vous la sentiez venir depuis longtemps ?

— Quoi, donc ?

— La crise...

— Non. Ça me prend tout d'un coup. Ça sent... ça sent comme le caramel, comme le caramel brûlé, pis j'ai l'impression de tomber dans la lune. J'sens pas vraiment ce qui se passe. C'est comme si j'avais le vertige, pas plus... Ça fait pas mal, rien. Ma mère dit que je tombe dans les confusions. C'est comme ça que ça s'appelle?

— Non. Y'a un mot plus savant pour décrire ça.

— Ah, oui? C'est quoi?

— Épilepsie.

— Ah, oui, je l'ai déjà entendu. Mais ma mère dit que ça ressemble trop à Pepsi. Tant qu'à ça, a'l'a ben raison... J'vous dis que chus loin de me sentir comme une bouteille de Pepsi... J'me sens plutôt...»

Son regard fit le tour de la classe, s'attarda sur le tableau noir, comme s'il avait cherché un mot qui pouvait décrire comment il se sentait.

«J'me sens... vide. C'est ça... pas fatiqué comme vide...

— Ça vous arrive souvent?

— Non. Juste des fois. C'est drôle, hein, mais on dirait que ça me repose. Chus vide pis reposé.

— De quoi?»

Marcel le regarda droit dans les yeux. Les siens étaient encore un peu jaunes et la pupille dilatée.

«De toute. Ça me repose de toute.»

Les pas des élèves montant les escaliers parvenaient jusqu'à eux. Dans quelques secondes la classe serait envahie par vingt enfants turbulents à qui on n'avait pas donné assez de temps pour dépenser toutes leurs énergies et qui auraient beaucoup de difficulté à se concentrer sur quoi que ce soit. Ils seraient très tannants, probablement punis et retourneraient chez eux enragés en sacrant contre l'injustice du professeur.

Marcel prit le dessin entre l'index et le pouce, le tendit au frère Martial.

«Je le sais c'que vous vouliez me demander... Si Duplessis a pas signé le dessin, c'est parce que c'est lui qui l'a dessiné pour vrai, c'te fois-là. Pis que moi chus pas encore prêt à signer à sa place...»

Sûr de son effet, et fier, il sortit de la classe à petits pas hésitants.

Il avait cherché son cousin pendant toute la récréation. Ils ne se parlaient presque jamais pendant ces dix minutes de détente placées au milieu de l'avant-midi et de l'après-midi : Marcel restait auprès de ses camarades de la classe auxiliaire, moins turbulents que les autres élèves de l'école et qui se contentaient de se promener en bavardant doucement, pendant que l'enfant de la grosse femme jouait au drapeau ou au ballon chasseur par beau temps, au hockey quand la glace était belle, l'hiver, ou au «trône» après une tempête de neige. Mais il aimait bien guetter Marcel du coin de l'œil. Entre deux volées de ballon, deux chutes sur la glace vive, il jetait un regard circulaire sur la cour de récréation, enregistrait la présence de Marcel dans quelque coin reculé, riant aux éclats des pitreries de Monique Gratton ou devisant à voix basse avec un autre de ses compagnons, souvent Pierre Lelièvre qui portait si bien son nom avec ses dents pointues déjà cassées et que tout le monde à l'école appelait «le lapin».

Personne n'avait jamais demandé à l'enfant de la grosse femme de veiller sur son cousin; il le faisait instinctivement, par pure magnanimité, conscient d'une responsabilité qu'il ne s'expliquait pas et à laquelle il faisait face même lorsque Marcel avait été particulièrement achalant et qu'il aurait plutôt eu envie de l'étriper que de le protéger : ce qui se passait à l'extérieur de l'école ne regardait qu'eux deux, mais à l'école même les dangers qui guettaient Marcel et ses compagnons de classe étaient trop nombreux pour qu'il les ignore juste sous prétexte que son cousin lui tombait sur les nerfs.

Les élèves de la classe auxiliaire étaient très impopulaires à Saint-Stanislas et avaient souvent besoin de protection. On les entendait hurler de peur quand les grands de neuvième se coalisaient pour venir les harceler dans leur coin, les traitant d'arriérés mentaux, de niaiseux, d'épais, de têtes heureuses tout en leur collant des claques derrière la tête, des coups de pieds au cul et des binnes bien placées qui leur bleuissaient les bras pour quelques jours. Il fallait alors se lancer dans la mêlée, souvent recevoir les coups à leur place, crier des menaces qu'on se savait incapable de mettre à exécution, jusqu'à l'arrivée du frère Martial qui mettait fin à la bousculade avec une violence qu'il avait beaucoup de difficulté à contenir. Ses élèves tremblants, même les plus vieux comme Marcel, se pressaient autour de lui pendant que les grands de neuvième s'éloignaient en imitant des cris de poules et de poussins. La mère poule avait retrouvé ses poussins et tout rentrait dans l'ordre. Pour un temps.

Alors, immanquablement, quelqu'un traitait Marcel de pigeon, la cour au complet éclatait de rire et Marcel se sauvait à l'intérieur de l'école. On le retrouvait la plupart du temps dans une des cabines de marbre des toilettes où il tirait sans cesse la chasse d'eau pour ne plus entendre ce qui se passait à l'extérieur. Il fallait le supplier pour qu'il ouvre ou alors passer en dessous de la porte en risquant de recevoir des coups de pied.

Mais ce matin-là l'enfant de la grosse femme ne vit pas la tête dodelinante de son cousin dans le groupe calme de la classe auxiliaire. Il crut d'abord que Marcel était passé par les toilettes et l'oublia le temps de la finale d'une partie de ballon chasseur que son équipe perdait lamentablement. Et lorsqu'il aperçut le frère Martial dans la fenêtre au bout de quelques minutes, se tenant à l'appui d'une main et s'épongeant de l'autre, il comprit qu'un élève, peut-être malade, était resté dans la classe, et que cet élève était Marcel. Il avait un peu peur du frère Martial qui avait la réputation d'être bête avec tout le monde sauf ses propres élèves et hésitait à aller lui demander ce qui se passait. Il avait envie de faire de grands gestes désespérés pour attirer son attention mais que se passerait-il s'il y arrivait? Allait-il crier à tue-tête: «Mon cousin est-tu malade?», au risque de s'entendre répondre: «Tu t'en étais pas encore aperçu?» par le reste de l'école au grand complet? L'inquiétude l'emporta et il se dirigeait vers la fenêtre du rez-de-chaussée lorsque Claude Lemieux le prit affectueusement par le cou.

«J'ai assez peur!»

L'enfant de la grosse femme sursauta, repoussa son ami.

«Peur de quoi?

— Ben, de l'examen, c't'affaire ! Ça te fait pas peur, toé, les examens ! Aïe, trois aujourd'hui pis quatre lundi !»

L'enfant de la grosse femme s'éloignait déjà.

«J'ai pas le temps de penser à ça...»

Claude Lemieux se mit à gambader derrière son ami comme lorsqu'il était trop nerveux pour se contenir. Un vrai spring.

«On sait ben, t'es t'un premier de classe, toé, t'as pas de problème ! Tu vas lire les questions une fois, tu vas répondre rien que sur une pinotte, tu vas donner ta feuille parfaite au frére pis tu vas t'en aller dîner comme si c'était un jour ordinaire !»

Il retenait son ami par la main, le tirant à lui, comme s'il avait voulu le prendre dans ses bras.

«J'haïs tellement ça, le français, j'comprends rien ! Y vont encore parler du verbe, du sujet, du compliment, pis j'sais pas encore c'que c'est !

— Ben, si tu sais pas c'que c'est, c'est pas moé qui vas te le montrer à matin, certain ! C'tait d'y penser avant, niaiseux, au lieu de faire le fou pendant les cours de français !

—J'fais pas le fou pendant les cours de français, tu sauras ! J'écoute attentivement ! Mais j'comprends rien parce qu'y a rien à comprendre ! Tu sais c'que c'est, toé, les propositions subordonnées ?»

L'enfant de la grosse femme se libéra de l'étreinte de son ami juste au moment où la cloche de la fin de la récréation retentit. Il leva la tête vers la fenêtre de la classe auxiliaire. Le frère Martial n'avait pas bougé mais il ne pouvait plus aller le rejoindre sans se faire prendre. Il essaya de calmer ses appréhensions en se disant que si Marcel était vraiment malade le frère Martial ne serait pas à la fenêtre mais plutôt en train de prendre soin de lui. Cependant, l'air inquiet du professeur lui serra le cœur. Et il comprit. Marcel était en crise. C'était la première fois que ça se produisait à l'école. Maintenant, tout le monde le saurait et «pigeon» ferait encore plus rire de lui. À moins de supplier le frère Martial de se taire si la crise se terminait avant que les compagnons de classe de Marcel reviennent dans leur local... Il fallait trouver un moyen de lui parler... un moyen de perpétuer ce secret si bien gardé de sa famille...

Il prit son rang comme tout le monde, dans un silence relatif parce que la nervosité des élèves qu'un premier examen attendait se manifestait de plus en plus par des chuchotements qu'ils ne prenaient même pas la peine de cacher. Il aurait pu lui aussi passer pour un enfant fou de trac devant la perspective de rater un examen : il avait serré ses bras sur son ventre et se tenait un peu plié par en avant. Mais la peur qui le secouait était bien différente. Un secret gardé depuis longtemps dans une maison où on n'osait même pas en parler entre membres d'une même famille risquait d'éclater au grand jour et la honte, la honte d'avoir quelqu'un frappé de cette maladie-là sous son propre toit, la honte d'être obligé de l'admettre, d'en parler, d'en subir les séquelles parce qu'on ne laisserait certainement pas passer l'occasion de l'associer lui aussi à cette tare, lui, le cousin du fou, le cousin du fou qui vient raide comme une barre et qui bave de la mousse blanche, une honte violente et laide avait déjà commencé à lui triturer les tripes et il aurait voulu se voir loin, très loin, à l'abri au creux de son lit, dans les bras de son teddy bear, pour toujours.

Claude Lemieux s'était placé derrière son ami et avait appuyé son front dans son dos.

«J'ai tellement peur que j'pense que j'vas perdre sans connaissance...»

L'enfant de la grosse femme était bien loin des examens de français, du verbe, du sujet, du complément. Il se tourna brusquement vers Claude Lemieux et l'apostropha juste un peu trop fort:

«Tu feras comme d'habitude, tu copieras, c'est toute!»

Claude était tellement insulté qu'il blêmit d'un seul coup, comme si on lui avait retiré le sang du corps avec une énorme seringue.

«Copier! Pendant un examen! Es-tu fou! Si j'me fais pogner j'vas rester en quatrième année! Ma mère va me tuer! J'vas passer l'été le nez dans des livres d'école! On sera pus dans la même classe l'année prochaine!

— Ça serait pas une mauvaise idée...»

Les classes se mettaient en branle l'une après l'autre, docilement, les grands de neuvième d'abord, puis les huitième et ainsi de suite jusqu'aux quatrième, les plus jeunes, les plus indisciplinés. Par beau temps comme aujourd'hui ça signifiait deux ou trois minutes de plus de récréation, appréciables même si elles devaient se dérouler dans le silence; l'hiver, c'était moins drôle: les joues et les pieds avaient le temps de geler un peu plus et les enfants piétinaient d'impatience. Ce jour-là, cependant, quelque chose d'autre courait dans les rangs, une nervosité nouvelle presque palpable tellement elle était générale, un malaise qui se manifestait chez quelques-uns par une petite danse sur place qui indiquait que plusieurs élèves de quatrième année repasseraient par les toilettes avant de monter en classe, même s'ils n'en avaient en principe pas le droit.

Claude Lemieux croisa les bras comme sa mère le faisait lorsqu'elle était fâchée.

«C'est ça... Dis-moé que tu veux te débarrasser de moé!

— Là, là, tu-suite, là, oui, j'aimerais ça me débarrasser de toé! T'es pas fatiquant ordinaire! Tu fais des drames avec toute! Au lieu de te plaindre à matin, là, pourquoi t'as pas étudié comme tout le monde!

— J'te l'ai dit cent fois que j'comprends rien au français! Fais-moé pas répéter, on vient d'en parler! J'COMPRENDS RIEN AU FRANCAIS!

— Tu le parles, pourquoi tu peux pas apprendre comment ça s'écrit?

— C'est ça que je fais mais c'est plein de fautes! Je l'écris comme je l'entends pis ça l'a l'air que je l'entends pas comme faut, c'est pas de ma faute!»

Juste avant que sa classe prenne le chemin de la grande porte, l'enfant de la grosse femme jeta un dernier coup d'œil sur la fenêtre où il avait aperçu le frère Martial. Elle était vide.

Crinqué comme un jouet qu'on ne sait plus comment arrêter, Claude Lemieux continuait ses reproches.

«J'vas redoubler, pis tu vas être ben content! C'est ça, va-t'en en cinquième année tu-seul, pis j'vas rester en arrière comme un chien, moé...»

Il était une fois de plus au bord des larmes et son ami eut une fois de plus envie de le frapper.

Il savait où viser, et comment, sans employer la force physique, et il le fit avec une indifférence qui le surprit lui-même.

«J'pense pas qu'y te fassent doubler... Les professeurs de quatrième peuvent pas te sentir... y vont tout faire pour te pousser en cinquième...»

La réponse vint brusquement, toute croche, mouillée. La voix n'était plus la même tant l'émotion l'avait transformée. L'enfant de la grosse femme savait ce qui allait venir mais il n'eut pas le temps de poser sa main sur la bouche de son ami.

«Je le sais que tout le monde m'haït! Mais j'pensais que toé, tu m'aimais!»

Des cris, des sifflements, des rires moqueurs, le frère qui élève la voix, les deux colonnes de garçons qui s'ébranlent dans un beau désordre. Quelqu'un pince une fesse de Claude Lemieux qui hurle. Sa peine coule dans les ricanements et les grimaces. Il veut mourir. C'est la troisième fois de la journée. Et il n'est que dix heures dix.

Le frère Martial lui parlait sur un ton inhabituel. Il se rendit compte dès ses premières paroles que le professeur de Marcel essayait de minimiser l'importance d'un incident qui s'était effectivement produit durant la récréation : la bouche prononçait des paroles apaisantes — Marcel était fatigué, il était retourné à la maison, il reviendrait probablement dans l'après-midi — mais les yeux trahissaient quelque chose qui ressemblait à un mélange de compassion et d'inquiétude. L'enfant de la grosse femme lui demanda si son cousin avait vomi. La réponse fut évasive :

«Non, non... Enfin, pas vraiment... Y'a eu... comme une faiblesse, disons, pis j'y ai conseillé de rentrer chez eux... euh... chez vous...»

L'enfant de la grosse femme en savait assez ; il tourna les talons, s'éloigna sans bruit. Il devait à tout prix éviter d'être en retard pour la deuxième fois dans la même journée. Il avait prétexté une envie de pipi qu'il ne ressentait pas pour s'éloigner des rangs de sa classe et il devait être de retour à sa place avant que le frère Robert commence à distribuer le questionnaire du premier examen.

Il ne ressentit rien à l'idée qu'il s'en allait passer ce fameux premier examen qui terrorisait tout le monde. Non qu'il fût convaincu de le réussir mais tout ce qui s'était passé entre Marcel et lui depuis le matin avait détourné son attention de ce qui aurait dû être l'essentiel de sa journée : les grands feuillets blancs brochés que le professeur passe avec un air mystérieux, les questions qu'il faut bien lire, peser, analyser, les réponses qu'on doit formuler clairement avec une belle écriture fluide et large, la dernière relecture — le moment peut-être le plus important —, où il faut avoir à la fois une vue d'ensemble du travail et un œil perçant à l'affût de la moindre faute d'orthographe, de la plus petite lettre mal formée qu'on pourrait prendre pour une autre.

Il avait longtemps confondu le q et le g, le d et le b, les queues par en haut et les queues par en bas, comme il les appelait, et ses professeurs avaient été obligés de recourir à des subterfuges assez ingénieux pour le démêler : «Le d est la première lettre du mot dos. Notre dos est derrière nous. Il faut donc mettre la bosse du d derrière sa queue. Par contre, le b est la première lettre du mot bédaine. Notre bédaine est devant nous... etc. etc.» À la fin de sa quatrième année, il achevait à peine de se demander, chaque fois qu'il avait à dessiner un b ou un d, où se situaient son dos et sa bedaine tant ces exemples l'avaient frappé et il se demandait aussi souvent s'il allait les traîner tout le reste de sa vie. Il se voyait à l'âge de ses parents se poser la même question et ça le déprimait. Mais, au moins, le truc marchait et il ne se trompait plus jamais.

Les trente et un élèves de la quatrième année C étaient sagement assis, les mains posées à plat sur leur pupitre, sauf Claude Lemieux qui se tamponnait encore les yeux. Le frère Robert écrivait quelque chose au tableau noir. La craie, toute neuve, faisait un bruit désagréable et plusieurs enfants grimaçaient.

L'enfant de la grosse femme se faufila à sa place sans attirer l'attention du professeur. Marcel était-il vraiment retourné à la maison au risque de se faire chicaner par sa mère ou n'était-il pas plutôt allé se réfugier dans sa forêt enchantée où il pourrait une fois de plus tout oublier? Il se dit que son devoir serait d'aller jeter un coup d'œil dans le parterre du 1474 de la rue Gilford en entrant à la maison mais il savait qu'il n'en aurait pas le courage et qu'il aurait encore à couvrir une fugue de son cousin. Il se sentit las et impuissant. Si Marcel commençait à avoir ses crises à l'école la chose se saurait très vite et éclabousserait sa famille au grand complet comme tout ce qui lui arrivait. Les premières fois qu'on avait appelé Marcel «pigeon», leur famille était rapidement devenue «la famille de pigeons», et quand on avait transféré son cousin dans la classe auxiliaire on l'avait regardé lui d'une drôle de façon comme s'il avait automatiquement été marqué du sceau de ceux qu'il fallait éloigner des autres même s'il était un premier de classe. Allait-on se mettre à imiter les crises de Marcel en contrefaisant de façon grotesque ce pauvre petit corps tordu par la maladie et allait-on lui tendre une cuiller de bois à lui chaque fois qu'il se fâcherait ou qu'il aurait un geste d'impatience? Heureusement, il ne restait que deux jours d'école et les élèves avaient d'autres chats à fouetter.

Le frère Robert s'était tourné vers eux. Au tableau était inscrite une phrase à la craie bleue : « Fais ce que doigt. » Il demanda :

« Qui peut corriger la faute que j'ai glissée dans c'te phrase-là ? »

L'enfant de la grosse femme haussa les épaules.

« Eh, que c'est niaiseux... »

Personne ne leva la main.

Le frère Robert cacha du mieux qu'il pût sa déception.

« C'est facile, pourtant. Lisez bien ce qui est écrit... »

Rien.

Il soupira, noua ses mains derrière son dos qui s'était un peu affaissé.

« Ça va être beau t'à l'heure... Vous voyez vraiment pas ? »

Claude Lemieux risqua timidement un doigt et l'enfant de la grosse femme leva les yeux au ciel. « Ça y est, y va encore s'attirer des bosses en voulant se sacrifier... »

Le frère Robert parut un peu étonné.

« Allez-y, Lemieux, dites-là votre niaiserie... »

Claude Lemieux se leva dans l'allée, se racla un peu la gorge avant de parler.

« J'pense qu'y faudrait mettre un s à doigt... »

Aucune réaction, même pas un rire. Le frère Robert eut envie de se jeter par la fenêtre. *Aucun* d'eux ne voyait la faute pourtant grosse comme une maison? En désespoir de cause il s'adressa à l'enfant de la grosse femme pourtant si fort en français.

«Vous, vous la voyez pas, la faute? Y me semble que ça se peut pas!»

Il avait voulu faire une farce, question d'alléger un peu l'atmosphère avant le début des examens, et se trouvait une fois de plus confronté à l'ignorance indécrottable de ses élèves. Il avait donc vraiment perdu toute une année à essayer de leur inculquer quelques notions de base de français? Et où avaient-ils eu la tête pendant ces quatre ans? Il se faisait souvent dire: «C'est plate à mort, le français!», «C'est trop compliqué, j'comprends rien...» «Pourquoi y'a tant de mots... On n'a pas de besoin de tous ces mots-là...»; il répondait alors avec toute la patience dont il était capable, expliquant que le français n'était pas plate, au contraire, que c'était une langue passionnante dont il fallait être fier, que les règles, compliquées au début, se simplifiaient au fur et à mesure qu'on les comprenait, que les mots bien utilisés étaient des choses merveilleuses... pour se faire bâiller en pleine face ou se rendre compte qu'on ne l'écoutait plus depuis longtemps. Alors pourquoi était-il étonné devant l'incapacité de ses trente et un élèves à trouver une faute aussi simple? C'est ce qu'il se demandait en attendant la réponse de l'enfant de la grosse femme qui tardait à venir.

Celui-ci, qui n'avait pas envie de se faire niaiser par ses camarades, de se faire traiter de liche-cul ou de chouchou, décida de prendre un chemin détourné pour indiquer au professeur qu'il savait où se trouvait l'erreur sans avoir à le dire clairement.

«On est trop énarvés, à matin, frére, pour comprendre des jeux de mots comme ça...»

Il appuya sur *jeux de mots* pour bien faire comprendre au professeur qu'il voyait bien qu'il y en avait un mais le frère Robert réagit mal.

«Vous viendrez pas me montrer quoi faire dans ma classe, vous! Vous pensez-vous plus fin que les autres? Hein? Quand j'vous pose une question, répondez directement, laissez faire les paraboles.»

Quelques rires. L'enfant de la grosse femme baissa la tête. Ce n'était vraiment pas sa journée.

Rouge de colère, le frère Robert se détourna, s'empara de la pile de questionnaires sur son bureau. Il prit quelques secondes avant de s'adresser à nouveau à la classe.

«J'sais même pas si ça vaut la peine de vous passer vos questionnaires d'examen, hein?»

Il cogna les feuilles sur le premier pupitre devant lui, celui de Michel Daniel.

«Je l'ai lu. Y'est pas mal difficile.»

Des cris de protestation s'élevèrent et Claude Lemieux ressortit son mouchoir trempé de sa poche de chemise où il avait déjà commencé à laisser des traces douteuses.

«Vous avez une heure exactement. Quand vous avez fini, vous venez me remettre la feuille pis vous vous en allez chez vous. Après-midi, c'est les examens de mathématiques pis de géographie. Pis lundi vous allez en avoir quatre! J'vous dis que ça va être beau!»

Au même moment on cogna à la porte. C'était le frère Martial. L'enfant de la grosse femme sentit son cœur bondir dans sa poitrine soudain trop petite pour le contenir. Ça y est, on allait tout révéler; la classe, puis l'école, puis la paroisse au complet allaient savoir; on le considérerait comme un malade lui aussi... il finirait comme l'autre, le maudit pigeon, dans la classe auxiliaire à faire des maudits dessins toute la maudite journée! Une fois de plus il s'envola par la fenêtre. Peter Pan fit quelques tourniquettes devant l'école et monta en flèche vers les nuages. Montréal s'éloigna pour toujours, ah! oui, pour toujours... J'te dis que je r'viendrai jamais icitte, moé! Si j'peux seulement le trouver, le Never neverland de Peter Pan, j'te dis que...

Quand il revint à lui un questionnaire était posé sur son pupitre. Il leva la tête. Le frère Robert le regardait avec un drôle d'air mais il n'y vit aucune animosité. Il ramena son regard sur la feuille... et ne comprit pas un mot de ce qui y était inscrit.

Peut-être, en fin de compte, était-ce du soulagement. Mais un soulagement qui avait comme un arrière-goût de regret. Il avait réussi à entrer tout seul pour la première fois depuis longtemps dans la forêt enchantée et c'était là une victoire évidente mais quelque chose, une seconde d'inattention, un moment d'inconscience, lui avait volé le *libre choix* de pousser la barrière, de poser un pied devant l'autre pour franchir les premiers arbustes de cœurs-saignants : il s'était retrouvé accroupi au cœur de ce parterre qu'il avait tant fui sans l'avoir vraiment voulu et en était frustré.

En sortant de l'école il avait été convaincu qu'il ne rentrerait pas tout de suite chez lui ; sa mère lirait probablement sur son visage ce qui venait de se passer et il avait peur de ses réactions, même si sa tante était là pour le protéger. Non pas qu'Albertine l'eût battu, non, elle ne le touchait presque jamais physiquement, surtout qu'il la dépassait d'un bon pouce depuis quelques mois, mais ses bêtises, ses menaces étaient tout aussi efficaces que des coups : elle savait où frapper, quelle dose employer et combien de temps laisser planer ses promesses de punitions et son intarissable verve quand venait le moment d'humilier son fils. Il se sentait trop faible pour tout endurer ça.

Il avait donc niaisé quelques minutes dans le parterre derrière le presbytère de l'église Saint-Stanislas, immobile au milieu des derniers pissenlits, revivant avec horreur la scène qui venait de se dérouler, se reprochant de n'avoir pas su éviter cette crise, ou la sentir venir assez rapidement pour demander à sortir de la classe... Pourtant son cousin lui avait dit dès le matin qu'il avait les yeux jaunes... Il avait cueilli un pissenlit et s'était demandé si ses yeux devenaient d'un jaune aussi violent ou si, comme le lui avait un jour crié sa sœur Thérèse, ils prenaient cette teinte de moutarde sèche qu'il détestait tant. «On pourrait faire une mouche de moutarde avec tes yeux tellement y sont brûlants!»

Puis il s'était retrouvé sans transition devant le 1474 de la rue Gilford — il ne se souvenait pas être sorti du parterre de l'église, avoir traversé la rue — et, sans transition aussi, avait repris conscience au milieu des odeurs de pipi de chat et des ombres mouvantes que faisaient danser les jeux du soleil sur ses bras et ses jambes. Il n'avait donc pas choisi de revenir dans la forêt enchantée, son corps l'y avait mené. C'était la première fois qu'il avait une absence aussi prolongée en mouvement — d'habitude ça se passait juste dans sa tête, pendant qu'il se reposait ou quand il décidait de partir dans ses rêveries; ça s'appelait tomber dans la lune et sa tante lui avait dit que c'était normal, que ça arrivait à tout le monde, que c'était bon pour l'imagination — et il avait été sécoué: il connaissait l'existence du somnambulisme, sa mère en était parfois atteinte après de trop grosses fatigues, mais il ignorait qu'on pouvait être somnambule en état de veille et en fut perturbé.«Si j'tombe dans la lune en marchant, à c't'heure, ça peut peut-être devenir dangereux! J'peux me faire écraser n'importe quand! Ça pis les confusions, c'est pas un cadeau!»

Mais il était là, dans le sein de sa forêt inventée, et c'était l'essentiel. Il avait tout de suite retrouvé l'immense bien-être d'être seul, la précieuse certitude d'être introuvable, insoupçonnable source de rêverie dissimulée dans un bosquet quelconque et inoffensif, entre un balcon vermoulu et une clôture rongée par la rouille. Le monde lui appartenait avec ses forces occultes, ses incompréhensibles barbaries, sa guerre froide, sa bombe atomique, ses couchers de soleil sanglants, sa mère injuste, sa maladie maudite et il allait le diriger! Il allait mettre de l'ordre dans tout ça, tout brasser à son avantage, remodeler et triompher en créateur conscient de son importance et orgueilleux de son génie.

Il commençait toujours par régler le cas de sa mère. C'était à la fois plus simple et plus gratifiant. Elle liquidée, le reste du monde suivrait facilement. Après tout, qu'est-ce qu'une guerre froide ou la bombe atomique, si lointaines, si impossibles à imaginer réelles à côté d'une mère quotidiennement présente et autrement plus menaçante? Il se vit s'approcher du lit où elle dormait profondément, ronflant de désagréable façon, oui, c'était plus intéressant quand elle ronflait, tendre vers ses cheveux déjà grisonnants une allumette qui flambait doucement...

Mais il eut un geste automatique qui pulvérisa son rêve à peine ébauché. Il tendit le bras gauche à

90

la recherche de Duplessis, sa source de vie, son inspiration, son amour, sa consolation dans l'adversité, son gros tas de poils chauds qui l'avait aidé à passer à travers tout depuis dix ans... Mais de Duplessis, il n'y en avait plus... ou si peu. Si peu.

Son cri fut si violent que Marcel heurta sa tête contre la brique de la maison.

Quelqu'un qui serait passé par là par hasard et aurait entendu ce cri se serait enfui en se bouchant les oreilles, croyant avoir entendu un enfant mourir.

Avec un geste brusque de la main, Albertine aspergeait son linge après l'avoir bien étendu sur le bout de la table de la salle à manger qui servait de planche à repasser. Elle approchait ensuite le fer de sa joue pour en vérifier la chaleur puis le plongeait avec précision sur le bout de manche de chemise, le bord de jupe ou le mouchoir de coton. Un peu de vapeur s'élevait dans la pièce. À l'autre bout de la table, la grosse femme triait les vêtements en deux piles distinctes : ceux de sa famille d'un côté, ceux de celle d'Albertine de l'autre. Elle connaissait chaque morceau de linge de la maisonnée et s'amusait même parfois à en chantonner le nom du propriétaire : «Gabriel, Albertine, Gabriel, Philippe, moi, moi, Albertine, Marcel...» ce qui, évidemment, tombait sur les nerfs d'Albertine qui lui disait sans ménagement : «Vous êtes pas capable de dire ça tout bas, j'ai de la misère à entendre le radio !» Un roman fleuve égrenait ses malheurs sur les ondes de CKAC et Albertine y vibrait beaucoup plus qu'aux problèmes de sa propre maison. Yvette Brind'Amour venait de perdre un enfant ou Marjolaine Hébert un mari et elle réagissait plus vivement qu'aux nouvelles folies de Marcel ou aux problèmes conjugaux de Thérèse qui venait de se marier quelques mois plus tôt. Elle bardassait Marcel, criait des bêtises à Thérèse au téléphone mais pleurait aux jérémiades de «Je vous ai tant aimé» ou de «Vie de femme».

Dans la maison, ça sentait le vendredi : en plus de la vapeur qui s'élevait du repassage d'Albertine, une sauce aux œufs mijotait sur le poêle à charbon. Les deux garçons retrousseraient le nez et feraient la grimace en rentrant de l'école pour le repas du midi. Marcel se contenterait de jouer dans son assiette et l'enfant de la grosse femme tremperait son pain dans la sauce en évitant bien de ramasser quelque petit morceau d'œuf que ce soit. Les deux femmes, elles, avaleraient tout avec délice, se resserviraient volontiers et reprocheraient à leurs fils de ne pas savoir ce qui est bon. Pour la santé et au goût. Marcel finirait par grignoter une beurrée de ketchup ou de moutarde et son cousin, pour faire plaisir à sa mère, s'efforcerait de mâchouiller un jaune d'œuf plâtreux qui lui donnerait mal au cœur.

Le roman fleuve achevait. Il serait suivi d'un autre tout à fait semblable où les mêmes acteurs dans des rôles pas vraiment différents rediraient les mêmes stupidités sur le même ton.

La grosse femme poussa la pile de vêtements de sa famille dans la direction d'Albertine qui s'essuyait le front avec son avant-bras.

«Tu feras attention, Gabriel a déchiré le bas de sa chemise bleue... J'sais pas si y nous reste du fil bleu marin... Si y'en a pas, faudrait envoyer le p'tit chez Marie-Sylvia...»

Albertine s'empara de ladite chemise, chercha l'accroc.

«De toute façon, a'l' a pus rien, Marie-Sylvia. Juste des bonbons à'cenne pis des lacets de bottine! Faudrait aller chez Shiller's.»

La grosse femme retint un sourire. Depuis quelque temps, toutes les raisons étaient bonnes pour Albertine de se rendre chez Shiller's, au coin de Fabre et Mont-Royal. Le patron avait un faible pour elle, ne le cachait pas et s'était presque déclaré quelques semaines plus tôt. Albertine n'était pas intéressée — son mari l'avait écœurée à tout jamais des hommes et elle le claironnait volontiers depuis des années — mais les attentions répétées de monsieur Shiller, les rabais qu'il lui accordait, l'intérêt que sous-entendait chacun de ses sourires la flattaient. Elle entrait là le buste droit, un sourire espiègle aux lèvres, elle qui ne souriait jamais, obtenait ce qu'elle voulait en prenant une voix qui n'était pas la sienne et en employant tout croche des mots qui n'étaient pas les siens et ressortait transformée, légère, presque gentille. Elle en restait comme illuminée pendant quelques heures et le reste de la famille en profitait. Pas de bardassage pour Marcel, moins de grognements pour les autres membres de la maisonnée et même, parfois, un repas exécuté avec une plus grande attention.

Sa belle-sœur avait fait mention de monsieur Shiller une seule fois, allant même jusqu'à l'appeler le prétendant d'Albertine, mais la réponse de celle-ci avait été tellement bête, tellement agressive, que la grosse femme se contentait désormais de sourire quand il était question de lui — un sourire très explicite, plein d'insinuations, auquel Albertine n'osait évidemment pas réagir.

«C'est ça, tu iras après le dîner. J'vas finir le repassage. En attendant, j'pense qu'on peut prendre un p'tit break...»

Albertine s'installa carré dans la vieille chaise qui avait autrefois appartenu à sa mère Victoire. C'était une chaise berçante qui ne berçait plus depuis belle lurette parce qu'elle avait trop servi et que le bois, si beau, si solide quand Josaphat-le-violon l'avait coupé, taillé, assemblé, là-bas, à Duhamel, au début du siècle, à force de frottement, de bousculades, s'était usé au point de la rendre dangereuse. La grosse femme avait renoncé à s'y asseoir depuis des années pour une raison évidente mais Albertine, dans sa tête de cochon, avait décidé qu'elle ne risquait rien et s'y jetait sans ménagement sous le regard effrayé de sa belle-sœur pour écouter ses romans-savon le jour et ses jeux questionnaires le soir.

Quand elle ne travaillait pas, elle regardait l'appareil de radio en l'écoutant, exactement comme si elle y avait vu ce qu'elle entendait. Pendant des heures d'affilée elle pouvait fixer la petite lumière jaune qui indiquait les postes, s'approchant quand l'action d'une émission se corsait ou qu'elle croyait connaître la réponse à une question qui venait d'être posée. Pendant «Tentez votre chance», une émission qu'elle aimait particulièrement, on la voyait même poser les deux mains sur l'énorme haut-parleur, coller sa bouche sur l'indicateur des postes et hurler la réponse en traitant le concurrent de tous les noms. Aux autres membres de la famille qui la taquinaient chaque fois, elle répondait : «J'le sais qu'y m'entendent pas, chus pas si épaisse que ça, mais ça me fait du bien !» Après un court silence, elle ajoutait entre ses dents : «Pis on sait jamais...»

Albertine «regardait» donc souffrir Antoinette Giroux depuis quelques minutes lorsque la grosse femme se rappela un article qu'elle avait lu dans *La Presse* de la veille. Elle prit le journal qui traînait sur une chaise en attendant qu'on y jette les pelures de patates et y retrouva facilement l'article accompagné de cette énorme photo qui l'avait tant fascinée. Elle attendit que la scène déchirante soit terminée pour tendre le journal à sa belle-sœur.

«Tiens, tu liras ça, ça va t'intéresser...»

Albertine se mouchait bruyamment dans un minuscule carré de coton. Antoinette Giroux venait de sacrer Albert Duquesne à la porte et ça lui crevait le cœur non pas parce qu'elle appréciait le personnage qu'il jouait mais parce qu'elle aimait sa voix.

«Vous savez ben que j'lis pas ça, les journaux. Y'a rien que des niaiseries, là-dedans...

— Lis juste le gros article, là...

— J'ai pas le goût... Contez-moé-lé, ça va aller plus vite...»

En soupirant, la grosse femme approcha une chaise droite de celle de sa belle-sœur, reprit le journal, le plia en quatre de façon à ce qu'Albertine voie bien la photo.

«R'garde... Ça, là, ça s'appelle une télévision...»

Albertine y jeta un regard sans curiosité.

«Ça l'a l'air d'un four électrique...»

Devant le peu d'enthousiasme d'Albertine, la grosse femme décida de parler pour elle-même. L'article l'avait beaucoup impressionnée et elle y songeait depuis la veille.

«Y paraît que c'est merveilleux c't'affaire-là... Y disent que c'est comme avoir le cinéma chez soi... Y le disent en toutes lettres, c'est écrit, là, regarde... C'est un radio, là, mais c'est plus qu'un radio. C'est un radio avec l'image! Tu peux voir l'image en même temps que t'écoutes ton programme... Comme aux vues... Excepté que c'est jamais en couleurs.»

Albertine avait froncé les sourcils pendant que parlait sa belle-sœur, puis levé la photo à la hauteur de son nez.

«Voyons donc! Y disent n'importe quoi!»

Heureuse d'avoir enfin piqué la curiosité d'Albertine, la grosse femme s'approcha un peu d'elle, se pencha sur le journal.

«Non, non, c'est vrai, r'garde! Y'ont faite des tests pis toute. Y'a même du monde aux États-Unis qu'y'en ont déjà dans leu'maison! C'est pas croyable, hein?

— On peut écouter le programme pis voir c'qu'y se passe en même temps?

— Ben oui!

— J's'rais jamais capable!

— Comment ça, tu serais jamais capable!

— Ben, chus t'habituée de juste entendre...
J's'rais pas capable de faire les deux en même
temps !

— Maudite folle, quand tu vas aux vues, tu vois
pis t'écoutes en même temps pis t'as pas de misère
à comprendre !

— Ben oui, mais aux vues chus t'habituée ! Pis
j'fais pas mon raccommodage pis mon tricotage
pendant que je regarde ! J'ai payé pour être aux
vues pis j'mange mes chips pis j'bois mon coke !
Est-tu bonne, elle ! Pis à part de t'ça, vous vous
rappelez comment c'que j'ai eu d'la misère à m'habituer quand les vues parlantes sont arrivées !

— Bartine ! T'étais juste une p'tite fille, dans ce
temps-là, on se connaissait pas !

— Ben j'ai eu d'la misère pareil ! J'étais habituée de lire entre les images pis quand le son est
arrivé j'comprenais pus rien ! Toute allait trop vite
en même temps ! Pis j'trouvais que ça faisait ben du
train...

— Ben oui, mais t'as fini par t'habituer...

— Ça m'a pris assez de temps ! J'ai pas envie de
recommencer ça... Non, non, j'aime mieux mon
radio comme y'est là...

— Ben oui, mais tu passes ton temps à regarder
le cadran, quand t'écoutes le radio... T'aimerais pas
mieux voir pour vrai, comme aux vues ?

— J'comprendrais rien ! Y'a ben que trop de
train dans'maison ! Pis y'a ben que trop de lumière !
Va-tu falloir toute éteindre comme aux vues quand

98

on va regarder ça? Comment c'est qu'on va faire pour se promener dans'maison si on voit rien!»

La grosse femme soupira d'impatience.

«Quand tu te mets à pas vouloir comprendre, toé...

— J'comprends très bien! Pourquoi vous dites que j'comprends pas? Ça m'intéresse pas d'avoir des vues chez nous, c'est toute! Jamais j'rentrerai ça dans'maison, entendez-vous, jamais!

— J'ai pas dit que j'voulais rentrer ça dans'maison, ça doit coûter les yeux de la tête. J'voulais juste te mettre au courant! T'aimes pas ça être au courant de ce qui se passe dans le monde, un peu, des fois?

— À quoi ça me sert de savoir qu'y'a du monde aux États-Unis qui ont les vues chez eux si ça m'intéresse pas d'en avoir? Pis c'est ben que trop grand, les vues! Ça prendrait un pan de mur! Faudrait installer les chaises de l'aut' bord d'la rue pour voir quequ'chose, c'est ben que trop petit, ici-dedans! J'ai pas envie de me rendre aveugle juste pour voir Antoinette Giroux brailler! Chus capable de l'imaginer tu-seule!

— J'ai pas dit que la télévision, ça prenait un pan de mur! Où c'est que t'as pêché ça! C'est tout petit! Dix-sept pouces!

— Dix-sept pouces! On verra rien! Y vont être gros comme ma main! Va falloir se coller le nez dessus! J'aime autant pas les voir!»

La grosse femme reprit le journal, se leva, le déposa sur la table.

«C'est correct, j'ai rien dit. Laisse faire.»

Albertine leva un peu le son de l'appareil de radio.

«On reparlera de t'ça une autre fois. En attendant, les «Joyeux Trouvadours» vont commencer, là, pis Estelle Caron a promis de chanter «Plaisir d'amour», hier...»

Elle se tourna brusquement, avant que sa belle-sœur ne réagisse.

«Non, j'aimerais pas ça voir Estelle Caron chanter «Plaisir d'amour»! Parce que pendant qu'Estelle Caron va chanter «Plaisir d'amour», j'vas aller brasser la sauce aux œufs!»

À la radio, les joyeux troubadours beuglaient déjà: «Ne jamais croire, toutes ces histoires, c'est comme ça qu'on est heureux...»

Elle avait de plus en plus l'impression de vivre avec ce qu'elle appelait un coffre-fort ambulant en pensant à Albertine. Elle en parlait souvent avec Gabriel, son mari, qui lui disait qu'Albertine avait toujours été renfermée, buckée, bougonne, et qu'il ne fallait surtout pas essayer de la changer. Victoire, leur mère, avait bien essayé, usant de tendresse et de persuasion, montrant une patience d'ange, mais Albertine, même enfant, avait résisté à toute approche, évité toute connivence avec qui que ce soit, sa mère, ses frères, sa sœur Madeleine, ses rares petites amies, seule dans son coin à juger les autres et elle-même, butée sur ses idées surtout lorsqu'on lui prouvait qu'elle avait tort. Sa famille l'avait très vite appelée «la buckée» et buckée elle était restée toute sa vie.

Un mariage malheureux et deux enfants difficiles avaient achevé de la rendre amère, impatiente, bête comme ses pieds et, plus récemment, un nouveau sentiment qu'elle avait d'abord essayé de réprimer mais qui avait été plus fort qu'elle, la jalousie, s'était insinué dans son cœur devant le bonheur prolongé de la grosse femme et de Gabriel, leur complicité qui durait maintenant depuis plus de vingt ans, leur courage dans la pauvreté, la réussite probable de leurs trois enfants : Richard, le plus vieux, qui commencerait à enseigner en septembre et qui vénérait ses parents ; Philippe, toujours dispersé, toujours farceur, qui sautait d'un travail à l'autre mais qui jamais ne manquait d'argent et qui réussirait toujours à se débrouiller dans la vie ; le petit dernier, premier de classe, chouchou de sa mère, trop tranquille à son goût mais qu'elle savait intelligent et dont elle sentait l'affection pour elle, même si elle faisait tout pour l'endiguer, la décourager.

Quand elle pensait à Thérèse au bras de la larve qu'elle avait épousée sans l'aimer, juste pour sortir de la maison et la faire chier, elle, sa mère, à ses frasques sur la Main qui se terminaient la plupart du temps dans la violence, à l'alcoolisme qui envahissait hypocritement son visage ; quand elle regardait Marcel grandir en grimaces, en rêves éveillés, agité au point de la rendre folle et si imprévisible qu'elle s'était mise à avoir peur de lui, ce grand adolescent qui bientôt deviendrait un homme, mais quelle sorte d'homme, pour l'amour, quelle sorte d'enfant attardé qu'il faudrait perpétuellement protéger tout en se protégeant de lui ; quand elle faisait le bilan de tout ça, le tout petit tas de sempiternelles misères, la ridicule addition de ses inutiles faits et gestes, l'insignifiance de sa vie, elle cachait sa tête dans son oreiller et hurlait pendant des heures : en plein cœur de l'après-midi, quand il n'y avait plus rien à faire jusqu'au souper et que la grosse femme plongeait dans un de ses maudits livres d'où il était si difficile de la sortir, au beau milieu de la nuit quand Marcel geignait en grinçant des dents et qu'elle se disait que c'était sa faute à elle s'il n'était pas normal, qu'elle n'aurait pas dû faire d'enfants, qu'elle en était indigne et qu'elle était justement punie...

Au cinéma, aussi, parfois, quand le french kiss entre Ingrid Bergman et son partenaire se prolongeait trop ou qu'Esther Williams sautait d'un hélicoptère dans une piscine colorée, elle ouvrait sa sacoche, sortait son petit carré de coton, reniflait, se mouchait, toussait, sanglotait sans retenue, les yeux rivés sur l'écran où un monde inaccessible semblait la narguer, se moquer d'elle, de sa médiocrité, de son petit carré de coton et de ses yeux gonflés. Ses voisins de siège, qui n'avaient jamais vu personne brailler pendant un film d'Esther Williams, changeaient discrètement de place ou riaient d'elle en se poussant du coude...

Alors, laisser entrer ça dans la maison sous forme d'une radio qu'on peut regarder, se laisser envahir jusque dans son intimité par cet univers trop beau et auquel jamais au grand jamais on n'aurait accès? Plutôt mourir! Ou passer encore une fois pour une ignorante aux yeux de sa belle-sœur dont la compassion l'insultait tant.

Elle resterait le nez rivé sur le cadran jaune de son appareil de radio et le cinéma resterait enfermé là où était sa place: au Passe-Temps, au Bijou et, pour les grandes occasions, au Saint-Denis.

La grosse femme s'était retirée dans sa chambre aussitôt après la première blague de Jean-Maurice Bailly. Elle avait entendu la porte du coffre-fort se refermer et savait qu'Albertine était verrouillée à double tour pour le reste de la journée et que toute communication avec elle était désormais impossible. Elle n'avait pas non plus envie de voir sa belle-sœur garder son air imperturbable devant les drôleries qui se diraient pendant la prochaine demi-heure aux Joyeux Troubadours. Elle lui avait un jour demandé pourquoi elle ne riait pas quand c'était drôle et Albertine lui avait répondu : «Qui vous dit que j'ris pas?»

Elle avait apporté avec elle le numéro de *La Presse* qu'elle étendit sur le lit couvert d'un couvre-pieds de chenille rose usé jusqu'à la corde, surtout là où elle posait chaque matin et chaque soir son large fessier pour s'habiller ou se déshabiller. Gabriel disait souvent, en souriant : «T'as toujours eu le don d'assassiner la chenille, toé!», ce à quoi elle répondait, sur le même ton : «Si on avait les moyens de se payer du satin, mon fessier ferait des dégâts qui coûteraient ben plus cher!»

Elle se pencha une fois de plus sur l'illustration et lut la description de l'appareil, la marque, Admiral, le prix, exorbitant.

Tout le savoir du monde était là, elle le savait. Le cinéma chez soi ? Plus que le cinéma, une radio visuelle qui suivrait l'actualité partout dans le monde au moment même où elle se produirait ; un livre ouvert sur l'univers ; une fenêtre qu'il ferait bon franchir et qui donnerait sur absolument tout. La connaissance dans la maison ! Elle passa la main sur l'écran grisâtre comme on lisse une belle pièce de tissu ou la joue d'un enfant. Quelque chose d'inconnu grandissait en elle, une détermination qu'elle n'avait jamais ressentie, un besoin d'une force colossale qu'elle savait définitif et dont elle ne pourrait jamais se débarrasser. Elle avait réussi à enterrer ses rêves d'Acapulco qui l'avaient hantée pendant des années avec l'apparition de ce nouvel enfant qui avait tant changé sa vie, dix ans plus tôt, mais ça, cette faim, cette rage, elle savait qu'elles étaient irrémédiables et qu'elle mourrait si elle ne les satisfaisait pas. Cette fenêtre sur le monde, elle la voulait, à tout prix, et l'obtiendrait quoi qu'il puisse lui en coûter et quoi qu'en dise sa maudite belle-sœur.

De l'autre côté de la porte de la chambre qui donnait sur la salle à manger, le coffre-fort venait justement de commencer à mettre la table pendant que Gérard Paradis et Estelle Caron jouaient un sketch du plus haut niaiseux. Les deux enfants allaient arriver. Elle pensa au premier examen que son fils venait de passer et eut un pincement au cœur.

Il regardait sa feuille comme s'il n'avait jamais vu de papier de sa vie. Un grand carré blanc rempli de lettres qui formaient des mots, de mots qui formaient des phrases, de phrases qui, normalement, auraient dû constituer des réponses à des questions imprimées en noir. Mais il n'en était pas sûr. Il avait répondu à chaque question, il le voyait bien puisque les espaces blancs sous les questions étaient remplis de son écriture, plutôt laide, d'ailleurs, moins contrôlée que d'habitude, moins consciente qu'elle serait lue par un œil inquisiteur à l'affût de toute maladresse, de toute imperfection. Il allait donc perdre des points pour l'écriture. Mais allait-il seulement en avoir pour les réponses ?

Il s'était vu écrire comme s'il avait été quelqu'un d'autre penché par-dessus sa propre épaule. C'était la deuxième fois que ce genre de chose se produisait depuis le matin, cette faculté de sortir de lui-même pour se regarder agir, et il se demanda si ce n'était pas le début d'un trouble voisin de celui de son cousin. Il s'était donc vu écrire mais sans trop enregistrer ce qu'il écrivait, comme si sa main, indépendante de sa volonté, n'avait pas suivi les ordres de son cerveau. Mais comment sa main pouvait-elle écrire des réponses à des questions que son cerveau ne comprenait pas? Il ne savait même pas si l'examen était vraiment difficile alors que le professeur venait de le dire!

Pendant toute l'heure qui venait de se dérouler, son cœur avait pris trop de place dans sa poitrine; il le sentait battre jusque dans ses tempes; il était même convaincu que toute la classe l'entendait. La classe était un énorme cœur dont les battements se faisaient ressentir par toute l'école, dans toute la paroisse. La ville de Montréal au complet entendait la panique que trahissait son cœur et s'en amusait méchamment. De Longue-Pointe à Sainte-Geneviève on savait qu'un petit garçon de la paroisse Saint-Stanislas d'habitude très bon en français venait de rater son examen et qu'il ne lui restait plus qu'à mourir pour effacer sa honte.

Il passa sa main sur le questionnaire, de haut en bas, comme pour supprimer des plis qui n'y étaient pas. Ou les réponses sûrement idiotes que sa main avait tracées. Il ne restait que cinq minutes avant la cloche. C'était le moment où il aurait dû relire à toute vitesse, corrigeant quelques s mal fermés ou un o qu'on aurait pu prendre pour un a, mais sa main droite continuait ce geste absurde qu'il ne comprenait pas, automatique et incontrôlable, qui se faisait lui aussi sans que sa volonté y soit pour quoi que ce soit et qu'il doutait de pouvoir jamais arrêter.

Quelques élèves s'étaient déjà levés, piteux pour la plupart, baissant la tête en posant leur examen sur le pupitre du frère Robert, puis sortant de la classe comme on sort de prison, allégés tout d'un coup, délivrés d'un poids trop grand pour eux. Quelques-uns avaient même lancé de vrais cris de délivrance qui avaient fait se froncer les sourcils de leur professeur.

Des bruits de course se faisaient entendre dans le corridor. De toutes les classes de l'étage s'évadaient des enfants exténués qui voulaient à tout prix oublier l'heure atroce qu'ils venaient de passer et ne pas penser à celles qui allaient suivre leur repas du midi.

L'enfant de la grosse femme se rendit compte que sa main ne lissait plus la feuille d'examen. Quelqu'un dans la classe au-dessus venait d'échapper quelque chose de pesant sur le plancher et il leva les yeux vers le plafond. Une petite tache brunâtre qui ressemblait à un trou et qu'il n'avait jamais vue attira son attention.

Un trou dans le plafond de la classe...

Il se vit, une nuit très noire, agenouillé sur le plancher de la classe du dessus, penché sur le trou qu'il venait de pratiquer à l'aide d'un vilebrequin, une bouteille d'encre *South Sea Blue* de Waterman à la main. Et il se demanda combien il lui faudrait verser de bouteilles d'encre *South Sea Blue* de Waterman pour remplir complètement sa classe. Et combien de temps ça lui prendrait. Une semaine? Un mois? Tout l'été? Quel beau problème d'arithmétique! Passionnant, pour une fois!

Il voyait le plancher de la classe prendre la teinte des eaux des mers du Sud, l'encre se répandre du vestiaire à la tribune qui soutenait le bureau du professeur, monter lentement, bouteille après bouteille, lécher les pattes des pupitres, arriver à la hauteur du bas des gros calorifères de bronze, des sièges, du tableau noir; il vit les brosses flotter sur la mer d'encre *South Sea Blue*, les craies blanches s'enfoncer à tout jamais dans le turquoise, les fenêtres hermétiquement fermées retenir le liquide qui devenait transparent en badigeonnant les vitres. Il vit les globes blancs des lustres flotter quelques instants puis couler; la belle lumière verte qu'ils enfanteraient au cœur de sa mer. Il se vit au moment où la dernière bouteille d'encre *South Sea Blue* de Waterman ferait déborder le petit trou dans le plancher, où il serait absolument sûr et certain que la quatrième année C venait de disparaître à tout jamais, noyant du coup non seulement le souvenir mais l'existence même d'un examen de français raté. Et il sourit, pâmé.

La cloche trancha son rêve d'un coup. La classe se vida de son liquide turquoise. L'examen, raté ou pas, existait toujours. Il baissa ses yeux sur la feuille. Il vit le mot complément. Complément? C'est quoi, un complément. Puis tout lui revint. Le sujet, le verbe, le complément. Direct et indirect. Il lut quelques questions. Il les comprenait toutes très bien. Mais il était trop tard. Le frère Robert tendait déjà la main.

«Vous avez ben lambiné, à matin? Êtes-vous correct?»

109

Évidemment, Claude Lemieux l'attendait à la porte de la cour d'école, accroupi sur la dernière marche de ciment, la panique inscrite sur le visage. Il s'essuyait encore les yeux lorsque l'enfant de la grosse femme sortit.

«Dis-moi pas que tu pleures encore! Ça doit ben être la douzième fois aujourd'hui, certain! Coudonc, tu dois jamais sécher!»

Claude Lemieux remit son mouchoir dans sa poche de chemise humide. L'enfant de la grosse femme s'installa à côté de lui. Il n'avait pas faim. Il n'avait pas envie de rentrer chez lui. Il serait resté là, à brûler au soleil, jusqu'à ce qu'on vienne le chercher, sa mère affolée ou son cousin sa crise finie, ou un de ses frères en colère. Et qu'on lui dise: «C'est pas grave, un examen raté. Ta moyenne de l'année va te sauver. Y vont penser que t'as été malade... On va leur expliquer, y vont compren- dre... Tu te reprendras après-midi avec les mathé- matiques...»

Claude Lemieux s'était approché de lui sans qu'il s'en rende compte, comme chaque fois qu'il «filait fin» selon sa propre expression. Mais l'enfant de la grosse femme n'avait pas envie que Claude file fin et le repoussa.

«Tu me repousses encore? Ça doit ben faire la douzième fois aujourd'hui, certain!»

Une grappe de grands de neuvième sortit en sacrant. On traitait les frères de tous les noms. L'examen était trop difficile: jamais au grand jamais ils ne comprendraient quoi que ce soit à l'imparfait du subjonctif, alors pourquoi insister? Pourquoi les obliger à apprendre des temps qu'ils n'utiliseraient jamais, parce que c'étaient juste les tapettes qui parlaient comme ça? La seule chose qu'ils avaient jamais retenue de tout ça parce qu'elle les faisait rire était l'imparfait du subjonctif du verbe savoir, qu'on ne leur demandait d'ailleurs jamais, et ils s'éloignèrent en hurlant: «Que je susse! Que tu susses! Qu'il susse le frère directeur! Que nous sussions le frère sous-directeur! Que vous sussiez le cul du frère André!»

Ils en avaient même oublié de baver les deux petits de quatrième, banana split et le chouchou du frère Robert, qui s'attardaient dans les marches de l'escalier.

L'enfant de la grosse femme se leva en soupirant.

«Bon, ben, on va y aller, hein, si on veut revenir après-midi...»

Claude Lemieux l'imita, même dans le soupir, et se plaça à sa gauche.

«Tu m'as même pas consolé d'avoir manqué mon examen...»

Son camarade sourit malgré lui. Le monstrueux égocentrisme de son ami l'avait toujours fasciné. Claude ramenait tout à lui-même d'une façon automatique, sans réfléchir ; c'était devenu une seconde nature, c'était ancré profondément dans chacun de ses gestes quotidiens, un besoin fondamental, probablement une façon d'être important à ses propres yeux alors qu'il passait la plupart du temps inaperçu de tous. Il avait la vanité des gens ennuyeux.

L'enfant de la grosse femme haussa les épaules en donnant un coup de pied à une pierre qui partit dans la mauvaise direction.

« Fais-toi z'en pas, moi aussi j'ai manqué le mien. »

Sans se donner le temps de s'étonner, Claude Lemieux se tourna vers lui.

« Ça se peut pas ! Ça se peut-tu ? Es-tu sûr ? Veux-tu que j'te console ? »

Tiens, un élan de générosité... L'autre le prit par l'épaule, l'attira doucement contre sa hanche. Claude Lemieux soupira d'aise en passant son bras autour de la taille de son ami.

« J'aime ça quand t'es fin comme ça. »

Ah, bon... Ce n'était pas de la générosité, après tout, mais une façon de s'attirer une caresse...

Ils franchirent en silence le parterre arrière de l'église, l'un tout à son bonheur de tenir serré contre lui l'être qu'il chérissait le plus au monde après sa mère, l'autre abîmé dans sa honte, et ils approchaient du 1474 de la rue Gilford lorsque

Claude Lemieux glissa à l'oreille de l'enfant de la grosse femme:

«Je le sais que tu l'as pas manqué, ton examen, pis que tu dis ça juste pour me faire plaisir!»

C'était vraiment trop. L'enfant de la grosse femme eut envie d'étrangler son ami. Il le vit rougir, puis bleuir entre ses mains; des veines palpitantes saillaient sur son front, ses yeux le suppliaient mais lui continuait de serrer au point de faire blanchir ses doigts, la respiration cessait tout d'un coup et il rejetait le corps au loin comme un vampire repu. Puis il lançait un rugissement de soulagement et courait se cacher... mais où donc?

Ils étaient arrêtés devant la forêt enchantée et Claude Lemieux lui disait: «Que c'est que tu regardes comme ça? T'as jamais vu ça, avant, des cœurs-saignants? Y'en a tous les printemps... Ça dure même jusqu'en juillet... Ma mère veut pas que j'y touche... A' dit que...» Il n'eut pas le temps de terminer sa phrase que son ami le repoussa violemment.

«Rentre chez vous. Va manger. On se retrouvera à une heure moins quart en bas de mon escalier.»

Claude, qui avait failli perdre l'équilibre, s'étira sur le bout des pieds. C'était le signe qu'il allait faire une colère.

«T'es ben bête! Que c'est qui te prend, tout d'un coup! T'as pas d'affaire à m'envoyer revoler de même, tu sauras! T'es fin sans bon sens, pis tout d'un coup tu te débarrasses de moé comme si j'existerais pas! Tu pourrais ben te retrouver tu-seul, une bonne fois, tu sais! J'pourrais me tanner de tout ça!»

L'enfant de la grosse femme avait déjà entendu ces litanies des centaines de fois; il se détourna. Il n'écoutait plus Claude Lemieux qui, il le savait, s'éloignerait en pleurant lorsqu'il se serait rendu compte qu'il n'avait plus son attention, pour revenir dans une heure plus gentil, plus mielleux que jamais.

Un bruissement lui parvenait de la forêt enchantée. Quelqu'un — Marcel, sûrement — était là et sa seule présence faisait s'accomplir une chose, pas vraiment un miracle, mais peut-être un instant de grâce, un moment privilégié d'une surprenante douceur, qui se traduisait par un murmure dans les branches, comme si un vent qui venait de l'intérieur du bosquet essayait de s'échapper. C'était un rêve et tout était pourtant très réel.

C'était un bel après-midi d'été, les abeilles butinaient, les criquets annonçaient d'une façon un peu hystérique que la journée du lendemain serait aussi belle, aussi chantable que celle-ci, une bande d'oiseaux préparait un mariage pour le début de la soirée, un petit vent se coulait partout et vous frôlait les jambes comme un chat affamé, ça sentait à la fois la confiture de framboises qui refroidit et le blé d'Inde qui mijote dans son eau additionnée de lait pour le garder tendre ; c'était une journée parfaite, peut-être du mois d'août, et elle venait tout droit du bosquet de cœurs-saignants. Elle était l'œuvre de Marcel et l'enfant de la grosse femme voulut savoir comment il s'y prenait pour inventer une aussi belle chose.

Mais quelque chose le retenait. En s'approchant de la clôture de métal, il comprit que Marcel dormait, que cette parfaite journée du mois d'août était née du sommeil de son cousin et il ne voulait pas «violer» un moment aussi intime. Leur grand-oncle, Josaphat-le-violon, le frère de leur grand-mère Victoire, leur avait souvent dit qu'il ne faut jamais regarder quelqu'un dormir, que c'est un viol (tous les enfants de la famille avaient cru pendant des années que «viol» était une façon campagnarde de prononcer le mot vol et l'enfant de la grosse femme le croyait encore) et que ça peut porter malheur. Il avait dit : «Quand un être humain dort, c'est le seul moment oùsque y'est vraiment tu-seul, ça fait qu'y faut pas le déranger. C'est là qu'y répare toute c'qui va mal dans sa vie.»

Il ne voulait pas déranger Marcel, il ne voulait surtout pas l'empêcher de réparer ce qui allait mal dans sa vie mais... il *voulait* une partie de cette superbe journée, un morceau, fût-il microscopique, du bonheur que devait procurer un aussi beau rêve. Lui aussi il en faisait de beaux rêves ; mais quelque chose cloche toujours dans les beaux rêves, même les plus merveilleux, alors que celui-ci semblait... parfait. Simplement parfait.

Mais Marcel dormait-il vraiment? Il se rappela ce qui s'était déjà produit dans la forêt enchantée alors que ni lui ni son cousin n'étaient endormis et il se dit que ce rêve-là, si beau, si convoitable, Marcel le faisait peut-être tout éveillé et que déranger quelqu'un qui rêve éveillé était peut-être moins grave... Il poussa la porte de la clôture. Le grincement le fit grimacer. Il se pencha un peu. C'était très noir là-dedans. Il se rappela l'odeur de pipi de

116

chat et la rudesse du mur de brique. Mais il s'accroupit quand même, se mit à quatre pattes, avança prudemment.

Marcel dormait. Il était couché sur le dos, le bras droit comme refermé sur quelque chose ou quelqu'un qui n'était pas là, un sourire pâmé aux lèvres. Marcel souriait si peu dans la vie de tous les jours que l'enfant de la grosse femme en resta figé quelques secondes. Quelle beauté! Il s'approcha un peu du visage de son cousin. Une douceur était descendue, oui, descendue *sur* le visage de Marcel. Cela ne semblait pas venir de l'intérieur, c'était posé sur son visage comme un masque d'une très grande délicatesse. Des ombres de cœurs-saignants jouaient là-dessus, animaient le front d'où toute trace d'inquiétude avait disparu. Marcel endormi était un autre être humain que lorsqu'il était réveillé. Marcel endormi était une Belle au bois dormant qu'il ne fallait pas réveiller, même après cent ans, parce que Marcel endormi était un adolescent heureux. Ce Marcel-là n'aurait pas besoin de fréquenter la classe auxiliaire, personne ne l'appellerait «pigeon», non, ses amis, orgueilleux de l'être, l'appelleraient simplement par son nom en mordant dedans tant ils auraient du plaisir à le prononcer. Ce Marcel-là était le vrai, il le comprit d'un seul coup et voulut savoir qui il était exactement.

Mais le viol?

Dilemme.

Il croisa les bras, réfléchit quelques secondes.

Il en vint assez rapidement à la conclusion qu'il ne fallait pas qu'il dérange son cousin. Mais la tentation fut plus forte.

Il posa la main sur le front de son cousin.

Aussitôt, une nuée d'oiseaux explosa dans la forêt enchantée ; ça venait du front, de la tête de Marcel, ça passait le long de son bras à lui comme une décharge électrique, ça lui jouait dans les cheveux, ça volait partout en piaillant, ça formait un mélange de couleurs comme il n'en avait jamais vu, c'était de toutes les couleurs en même temps mais il n'aurait pas pu en nommer une seule tant elles lui semblaient nouvelles. C'était ça, le bruissement. Des ailes. Des milliers. Qui éventaient le front de Marcel endormi. Il regardait, ravi, incapable de suivre le vol d'un seul oiseau mais tout à fait habile à sentir la pulsation de la nuée parce qu'elle formait un être complet.

En un seul cri d'avertissement ou d'épouvante, le vol d'oiseau creva comme une bulle, coula en couleurs encore plus démentielles, et disparut.

Et un magnifique chat tigré sauta dans la forêt enchantée, haletant, excité, les babines retroussées, comique tant il était absorbé par sa chasse. C'était un énorme chat de ruelle qui faisait plaisir à voir tant il avait l'air en santé, musclé au point où on se disait qu'il devait être la terreur du bout, le museau rose et bien humide, les moustaches longues juste ce qu'il fallait, la gueule soulignée d'un fin trait noir qui donnait l'impression non pas qu'il souriait mais qu'il riait franchement de vous.

Il ne vit pas tout de suite l'enfant de la grosse femme et lança un : «Oùsqu'y sont passés, maudit, j'étais sûr de pouvoir les pogner facilement!» qui fit sursauter le petit garçon. Le chat sentit le mouvement, se tourna dans sa direction. «Que c'est que tu fais là, toé? T'es pas supposé de me voir!» Puis il vit la main de l'enfant de la grosse femme posée sur le front de Marcel. «Ôte ça de là, toé! Violeur! T'as pas honte?» Il se préparait à charger, le dos rond, la queue en point d'exclamation, les griffes sorties. Le cousin de Marcel eut peur, retira sa main. Plus rien que la pénombre, les cœurs-saignants, l'odeur de pipi de chat. Il se dit que le contact avait été interrompu et voulut reposer sa main sur le front de son cousin.

Mais Marcel était réveillé. Tous ses soucis, tous ses malheurs étaient revenus d'un coup sur son visage. Son front avait pâli, ses traits étaient tirés comme après un épuisant exercice. Sa voix était cassée, suppliante.

«Vole-moé pas mon été. Vole-moé pas mon chat. J'le vois juste en rêve, à c't'heure... Laisse-moé-lé. S'il vous plaît, laisse-moé dormir.» Il ferma les yeux. L'enfant de la grosse femme se pencha tout près de son visage.

«Tu peux pas rester là. Y faut que tu viennes manger. Ta mère va s'inquiéter, encore.»

À la mention de sa mère, Marcel fit la grimace.

«Tu y diras... tu y diras que chus resté à l'école. Que j'vas rentrer tu-suite à quatre heures. Dis-y n'importe quoi mais vends-moé pas!»

Une petite déchirure s'ouvrit dans l'âme de l'enfant de la grosse femme. Il ressentit en même temps le désespoir de Marcel et sa propre jalousie. À ce moment-là, il aurait tout donné, tout, sa passion des livres, son amour pour ses parents, ses privilèges de premier de classe, pour pouvoir s'immiscer le temps d'un rêve dans la tête de son cousin.

Pour revoir Duplessis.

« **P**is, comment ça a été, à matin?» Claire Lemieux brassait une pâte faite de vieux pain rassis, de lait, d'œufs, additionnée d'un peu trop de vanille, qu'elle allait mettre au four pour le repas du soir. Ne recevant pas de réponse, elle quitta la cuisine en s'essuyant les mains sur un tablier à la propreté douteuse. «J'fais d'la poutine au pain pour le souper, es-tu content?»

Claude était affalé sur son lit, au fond de la chambre qu'ils partagaient tous les deux, faute d'espace. Sa mère vint s'asseoir près de lui. «C'est pas grave si tu manques tes examens, meman a une belle surprise pour toé.» Claude s'essuya les yeux rougis par les trop nombreux pleurs qu'ils avaient déjà versés depuis le matin. «Une surprise? Quelle surprise?»

Claire Lemieux préparait son coup depuis plusieurs mois. Elle avait réussi au prix d'efforts surhumains à cacher à son fils le projet qu'elle avait échafaudé avec sa propre mère et qui, elle en était convaincue, le pâmerait, lui qui était fou de sa grand-mère et de la campagne. Il y aurait sûrement quelques protestations et peut-être même une petite crise, au début, mais tout allait s'arranger très rapidement. Elle essuya du pouce les larmes qui tachaient les joues de son fils. «Tu-suite après les examens, la semaine prochaine, on s'en va.» Claude recula, s'appuya contre le mur. «On s'en va? Où, ça?» Sa mère avait son visage des «bonnes surprises» qui étaient toujours étonnantes, oui, mais pas toujours bonnes et dont il avait appris à se méfier depuis sa petite enfance.

«On s'en va à Saint-Ustache, sus grand-meman.»

Il aurait dû se réjouir. Il se méfia. Il revit avec ravissement la petite maison de sa grand-mère, le lac, tout près, où il pourrait se baigner, sa chambre, *une chambre à lui*, qui donnait sur une petite cour que sa grand-mère prétendait être un jardin parce qu'il y poussait quelques glaïeuls chétifs; il sentit l'odeur de tarte aux pommes qui semblait accrochée au fond de la cuisine pour l'éternité, les draps toujours frais qui dégageaient une odeur qu'il associait depuis toujours aux fêtes: ça sentait Noël et Pâques et les cadeaux n'étaient jamais loin; mais quelque chose dans le regard de sa mère, une excitation nouvelle, le pli de sa bouche aussi, et même le mouvement de sa main sur le bord du lit qui cachait mal un état d'agitation qu'il ne lui connaissait pas, l'empêchèrent de sauter de joie comme chaque fois que Claire lui annonçait leur départ pour Saint-Eustache.

«T'es pas content?»

Puis il comprit la vraie raison de son inquiétude. Elle lui avait dit que le résultat de ses examens n'était pas important. Un flot de sang trop rapide l'étourdit; il se rendit compte qu'il avait peur.

«Pourquoi t'as dit que c'était pas grave si je manquais mes examens?»

Elle le prit dans ses bras, le souleva, esquissa quelques pas de danse. Il ne l'avait pas vue dans cet état depuis la mort de son père, Hector-le-sans-cœur, qu'ils avaient tant détesté et dont la rue Fabre au grand complet avait presque fêté la disparition tant il avait été fainéant et désagréable.

«On s'en va pas juste pour quequ'semaines, comme d'habetude, hein?»

Elle frotta son nez contre le sien comme quand il était bébé.

«Non!»

Il se débattit, sauta par terre, se réfugia encore une fois au fond de son lit.

«Dis-moé pas qu'on s'en va pour toute l'été! J'veux pas aller à Saint-Ustache pour toute l'été, j'te l'ai déjà dit! Y'a quasiment pas d'enfants sus la rue de grand-meman, pis chus toujours tu-seul! Mes amis sont icitte! Pis j'veux pas être séparé d'eux autres!»

Le sourire de sa mère ne s'effaça pas et il eut encore plus peur.

Elle mit les mains dans les poches de son tablier.

«T'as pas encore compris, hein?»

Il avait très bien compris mais un blocage volontaire l'empêchait de mettre en pensées ce qu'il avait senti dès la première phrase de sa mère. Il souleva le couvre-lit, s'enfouit sous la couverture de coton, se cacha la tête sous l'oreiller.

Sa mère s'assit près de lui, lui brassa un peu les fesses comme quand il se faisait supplier pour se lever, les mauvais matins.

«Tu vas t'en faire d'autres, des amis... L'école de Saint-Eustache est pleine d'enfants! J'ai déjà faite ton entrée. Grand-meman connaît le frère directeur... Y vont te monter directement en cinquième année! T'es pas content? Tu seras pas obligé de recommencer ta quatrième! Pis la campagne va te faire tellement de bien! T'es toute chéti! Là-bas, tu vas prendre des forces, tu vas grandir plus vite, tu vas faire un homme!»

Claude bondit hors de son lit, traversa leur chambre, le corridor, ouvrit la porte d'entrée de la maison et dévala l'escalier extérieur en hurlant.

Claire Lemieux ne bougea pas. Elle s'attendait à une telle réaction et la prenait avec un grain de sel. Dans quelques heures la crise serait terminée et Claude verrait les grands avantages de la vie à la campagne, elle en était convaincue.

Elle s'appuya contre le mur et pensa à la délivrance qu'avait été la mort de son mari, quelques mois plus tôt. Un cancer inespéré et sans merci —trop de cigarettes, trop de gras, pas assez d'exercice—, une agonie violente et courte, un enterrement expédié à la hâte. La délivrance. La paix. Elle venait de donner sa démission chez Giroux et Deslauriers où elle travaillait depuis des années et s'était trouvé un emploi de waitress dans un restaurant de Saint-Eustache, tout près de l'église. Elle et sa mère élèveraient Claude toutes seules, sans hommes, ah! oui, sans hommes, et elles en feraient leur fierté, leur raison de vivre.

Ici, ce serait trop difficile. Et elle en avait assez de la rue Fabre, de la promiscuité, des ragots — tout le monde savait tout sur tout le monde et se mêlait de tout tout le temps —, des amis de Claude, surtout, qu'elle trouvait étranges parce qu'ils étaient presque tous nés le même été que son fils et dont la trop grande complicité lui faisait peur. Elle n'aimait pas l'enfant de la grosse femme, ni les deux Carmen, Carmen Ouimet et Carmen Brassard, ni Jay-Pee Jodoin, ni Linda Lauzon, ils étaient à la fois trop bruyants quand on les laissait faire et trop secrets quand on leur demandait d'être tranquilles. Les plus jeunes, aussi, la dérangeaient: Manon Brassard et ses airs de sainte nitouche, la ribambelle d'enfants Jodoin, plus gypsies qu'autre chose, le petit Lauzon qui n'arrêtait pas de grimacer. Ils formaient un monde à part qui la gênait et elle voulait soustraire son fils à leur influence.

Elle rêva de la vie qui l'attendait à Saint-Eustache, à la douceur des soirs d'été, à la beauté des nuits d'hiver... Les jours qui, tous, se ressembleraient parfaitement et dans l'harmonie desquels elle pourrait se noyer.

Un bruit de freins de voiture, un cri. Elle crut mourir.

En tournant le coin de Fabre et de Gilford, l'enfant de la grosse femme aperçut madame Lemieux qui battait son enfant au beau milieu de la rue. Elle le faisait avec beaucoup d'énergie, beaucoup de conviction et il pouvait entendre les coups pleuvoir sur la nuque, sur les épaules, sur les fesses de son ami. Les voisins étaient sortis sur leurs balcons, sa mère et sa tante aussi. Une voiture était arrêtée à quelques pas de Claude et de sa mère, Marie-Sylvia hurlait quelque chose depuis les marches de son restaurant mais on n'entendait pas ce qu'elle disait à cause des cris de l'enfant.

L'enfant de la grosse femme courut vers eux comme pour aller au secours de Claude mais madame Lemieux le pointa du doigt en hurlant :

«C'est de ta faute, ça, encore! C'est encore toé qu'y s'en allait rejoindre! T'es pas capable de le laisser tranquille, c't'enfant-là!»

Il s'arrêta pile à dix pas d'eux. L'injustice de l'accusation le clouait sur place. C'était Claude qui ne le laissait jamais tranquille, qui collait comme une sangsue, pas lui! Son ami le regardait avec son

126

pire air suppliant et il eut envie de prendre la relève de sa mère.

Marie-Sylvia profita de ce silence qui, elle le savait, allait être de très courte durée, pour dire : «J'ai tout vu, moé! J'ai tout vu! Y'a traversé la rue comme une balle, y'a même pas regardé si y'avait un char qui s'en venait! Y sait pas vivre! Comme les autres! Sont toutes pareils! Des vraies queues de veau!»

Claire Lemieux, insultée qu'on se mêle de ses affaires, se tourna dans la direction de la vieille femme.

«Aïe, vous, là, ça va faire! En avez-vous des enfants? Hein? Non! Ben mêlez-vous de ce qui vous regarde! Pis arrêtez de leur vendre des sacs de surprises à une cenne qui risquent de les empoisonner au lieu de nous dire que c'est faire avec eux autres! Si y sont comme des queues de veau, comme vous dites, c'est à cause de c'qu'y'achètent chez vous! Vous leur vendez des vieux bonbons qui leur attaquent le cerveau!»

Marie-Sylvia claqua la porte de son restaurant après avoir lancé son anathème : «Ouan? Ben que j'en voye pus un maudit dans mon restaurant! Pus un! Jamais! Y'iront s'en acheter ailleurs, des sacs de surprises! Pis vous, là, l'exaltée, j'veux pus vous revoir la face dans mon restaurant vous non plus!»

L'enfant de la grosse femme s'était approché de quelques pas. Claude le regardait venir en tremblant. Il aurait pu le toucher, le consoler comme il le faisait si souvent et en même temps il aurait voulu le battre. C'était toujours la même chose avec lui :

il attirait autant le mépris que la pitié. Et toujours en même temps.

La grosse femme cria doucement du haut du balcon : « Monte en haut, mon chien, viens manger. Laisse-les régler leurs affaires... »

Puis le silence tomba. Ils formaient un tableau vivant au milieu de la rue : madame Lemieux respirait rapidement comme quelqu'un qui veut s'empêcher de pleurer, Claude restait plié en deux de peur que sa mère ne se remette à le frapper, l'enfant de la grosse femme les regardait avec un air découragé, ne sachant s'il fallait suivre le conseil de sa mère ou rester pour défendre son ami, le chauffeur de la voiture qui avait failli frapper Claude était encore appuyé sur l'aile avant de son véhicule, s'épongeant le front en tremblant. L'incident était terminé sans trop de dommage ; les voisins, un peu déçus, rentraient chez eux continuer leur repas du midi. Seule la grosse femme était restée dans sa chaise berçante, sur le balcon. Son fils le savait sans avoir besoin de se retourner pour vérifier.

Claire Lemieux rompit le silence après avoir repris Claude par le bras. « Excuse-moé, tit-gars. J'le sais ben que c'est pas de ta faute. J'tais tellement énarvée... » Et personne n'ajouta rien. Madame Lemieux ne remercia pas le chauffeur de ne pas avoir tué son enfant. Le chauffeur remonta dans sa voiture sans rien dire lui non plus. L'enfant de la grosse femme grimpa lentement les marches de l'escalier extérieur. La voiture partit.

Mais au moment où lui et sa mère allaient entrer chez eux, Claude Lemieux se retourna et cria à son ami par-dessus la rue Fabre : « Ma mère veut

m'emmener rester à Saint-Ustache pour toujours!
On se reverra pus jamais!»

« Comment ça se fait qu'y'est pas avec toé? Où c'est qu'y'est allé traîner, encore!»

Il écrasa les morceaux d'œuf dans la sauce blanche avec sa fourchette, brassa le tout, en posa une petite quantité sur un bout de pain et ferma les yeux avant de se mettre la mixture dans la bouche. C'était moins mauvais au goût que ce à quoi il s'attendait mais la consistance pâteuse de ce plat abhorré l'écœurait et il déglutit avec difficulté. Sa mère fit comme si elle ne voyait rien et en avala une large fourchettée. Il la regarda avec de grands yeux perplexes, se demandant si elle aimait vraiment ça ou si elle ne faisait que le défier. Il replongea le nez dans son assiette parce que sa tante ouvrait encore la bouche pour parler.

«Réponds-moé, quand j'te parle! Chus pas ta mère, moé, j'ai jamais gagné le prix mondial de la patience!»

La grosse femme la regarda avec un air mi-amusé mi-sévère.

«Bartine, franchement! Laisse-lé manger un peu! Déjà qu'y'aime pas c'qu'y mange, si en plus y faut qu'y parle en même temps, y va être malade certain ! »

Il déposa sa fourchette. « De toute façon, j'ai pas faim. »

Il vit l'inquiétude plisser le visage de sa mère d'un seul coup. Cela lui arrivait de plus en plus souvent ; elle arrivait mal à cacher ses émotions : une joie l'illuminait et on avait envie de l'embrasser et d'être heureux avec elle ; une mauvaise nouvelle ou une contrariété défaisait son visage en quelques secondes et la culpabilité vous saisissait à la gorge. Il faillit dire non, non, c'est pas vrai, j'ai faim, la sauce aux œufs est délicieuse, tout va bien, mais il était trop tard, elle parlait.

« Tu m'as rien dit de ton examen d'à matin... Comment c'était ? »

Lui dire la vérité ? (« J'ai rien compris aux questions, chus t'un épais fini, c'est la faute de Marcel pis de son chat, pis de sa forêt enchantée, pis de sa maudite maladie ; j'étais pas capable de me concentrer, j'ai tout raté, j'vas rater les autres, aussi, parce que y'a pas de raison que ça aille mieux après-midi, j'vas rester en quatrième année... ») Lui mentir ? (« C'était facile, j'ai fini avant tout le monde, le frère en revenait pas, j'ai hâte à après-midi, j'ai hâte à lundi... J'vas finir dans les trois premiers certain... »)

« C'tait correct. »

La réponse était sortie sans qu'il l'ait formulée dans sa tête. Il avait visé les extrêmes, il avait répondu dans le milieu. Une phrase qui ne voulait rien dire, banale, ni détresse ni joie, alors que tout bouillait à l'intérieur de son corps et que rien

131

n'aurait été plus consolant qu'un mot de sa mère, ou sa main sur son front.

«Ça veut rien dire, ça, correct... Ça ben été ou ben si ça mal été? C'tait quoi, l'examen?»

Albertine racla le fond de son assiette avec sa fourchette.

«C'est vous qui disiez tout à l'heure qu'y fallait pas y parler pendant qu'y mange?

— Y mange pas, justement! Es-tu sourde? Y vient de dire qu'y'a pas faim, pis un enfant qui a pas faim après un examen, c'est pas normal!

— Bon, vous allez encore vous faire un drame avec rien! À vous entendre parler, c't'enfant-là est tellement intelligent qu'y brille dans noirceur! Ça sert à rien d'y demander comment son examen a été! Son examen a ben été, c'est évident, c't'un génie! J'vois pas pourquoi vous vous inquiétez!»

Elle se leva, ramassa son assiette et sa tasse de thé vides.

«Moé, j'ai des raisons de m'inquiéter, par exemple! Mon fou est encore pardu quequ'part entre l'école pis icitte, pis y'aura pas moyen de le retrouver avant à soir, comme d'habetude! Y passe pas des examens, lui, non, y niaise, y fait des dessins, y fait du bruit, y fait des grimaces avec une gang de fous comme lui... Y'apprend pas, y joue! Y brille pas dans'noirceur, non plus, on a de la misère à le trouver le jour! Y... Y...»

Elle s'arrêta. La source n'était pas tarie, mais les mots manquaient. Elle gardait la bouche ouverte, sa bouche était remplie de choses laides à dire absolument, des accusations, des plaintes, des malédictions, mais rien ne sortait et elle restait figée près de l'évier, tragique statue oubliée dans une cuisine pauvre, impuissante dans son manque de vocabulaire.

«Maudit... Que c'est... que j'vas faire avec lui? Y va... être trop vieux... pour retourner dans la classe auxiliaire, en septembre...»

C'était sorti par à-coups, tout croche, c'était presque incompréhensible, à peine murmuré, mais l'enfant de la grosse femme comprit que ça comportait un malheur tel qu'il n'en avait jamais vu jusque là, infiniment plus grave, infiniment plus humiliant que son maudit examen dont il ne savait pas s'il l'avait vraiment raté. Il sentit son malheur tout petit et en fut un peu insulté.

Albertine trouva la force de rincer son assiette à l'eau froide. Elle s'adressa à sa belle-sœur sans la regarder.

«On va l'avoir avec nous autres tout le temps, à c't'heure...»

La grosse femme fit signe à son fils de sortir discrètement de la pièce. Il se sentit abandonné, trahi, et quitta la cuisine les épaules voûtées.

La grosse femme resta assise à sa place. Elle jouait avec les miettes de pain sans trop s'en rendre compte, pour se donner une contenance.

«Ça fait-tu longtemps que tu le sais?»

Albertine se racla la gorge.

«J'pensais qu'y restait encore un an, que j'avais le temps d'y penser... Mais y m'ont appelée, la semaine passée, pendant que vous étiez aux vues avec Philippe...

— Y peuvent pus le prendre?

— Y'est trop vieux. Lui pis Monique Gratton, y paraît qu'y pourraient avoir une mauvaise influence sur les plus jeunes... Ça a l'air qu'y faut l'occuper à d'autre chose... J'ai rien compris... juste que j'vas l'avoir su'l'dos... Y m'ont dit qu'y'a des institutions pour ceux de son âge, mais...»

Elle s'agrippa au bord de l'évier, se pencha pour vomir.

«J'veux pas enfarmer mon enfant!»

Il était couché sur le dos au beau milieu du couvre-pieds de chenille du lit de ses parents. Ça sentait un peu l'odeur de son père, beaucoup celle de sa mère. En tournant la tête vers la droite il pouvait imaginer les longs membres de son père ramassés sur son ventre, sa tête penchée hors du lit comme pour en sortir, énorme fœtus adulte que la grosse femme devait secouer plusieurs fois par nuit dans l'espoir improbable de le faire cesser de ronfler; à gauche, il y avait un renfoncement léger que le corps de la grosse femme avait creusé au fil des années; ça faisait un lit en pente, on avait envie de le débouler en tournant comme sur les gazons du parc Lafontaine, en partant du côté de Gabriel qui était trop léger pour laisser sa marque dans son propre lit pour finir du côté de la grosse femme qui se creusait une place partout par sa seule présence; c'était une pente de traîne sauvage, une pente de ski, une pente de sable doux qui menait au lac, à la rivière, en tout cas à l'eau.

Il savait que son père visitait encore assez souvent le côté de sa mère, qu'il dépliait ses membres pour redevenir très grand tout à coup, très pesant, très présent dans le lit; il le savait parce qu'il couchait encore dans le coin le plus obscur de la chambre, entre la fenêtre et la monstrueuse armoire de bois, et que malgré leur volonté de se faire le plus discrets possible ses parents se laissaient parfois aller à des démonstrations de plaisir qui ne mentaient pas. Quand il était tout petit il avait souvent pensé qu'un de ses parents, celui qui geignait le plus fort, était malade et que l'autre essayait de l'aider, mais en vieillissant il avait compris que cette maladie-là les prenait toujours en même temps et qu'ils s'y adonnaient avec un abandon qui n'avait rien à voir avec quelque malaise que ce soit : c'était un jeu qui se jouait dans le noir et dont il était exclu. Il n'avait jamais *vu* ce jeu parce que la chambre était trop sombre mais il en avait confusément saisi les règles faites de feintes et d'attaques, de consentements qui se font attendre et de refus brusques et étonnants qui se traduisent par de petits ahanements interrogateurs, et surtout de grandes abdications irraisonnées. L'odeur de ses parents, une seule cette fois, une parfaite combinaison dont la puissance le ravissait, s'élevait alors dans la pièce trop chaude en hiver comme en été, et le clouait sur le dos les bras ouverts, les jambes écartées, offert. Il attendait avec un peu d'anxiété les cris de délivrance que ses parents réprimaient du mieux qu'ils pouvaient et qui marquaient toujours la fin de leurs ébats. Il jouissait avec eux mais ça n'était pas encore tout à fait physique ; c'était un soulagement qui venait de partout à l'intérieur et ça le laissait vide et content. Chaque fois, immanquablement, sa mère se tournait vers lui et chuchotait : « J'espère qu'on n'a pas réveillé le p'tit... » Son père riait tout bas. Lui, il avait envie de

crier : «Jamais je dors quand vous faites ça ! Jamais !»
Il espérait même souvent qu'ils recommencent.

Et il allait les décevoir tous les deux.

Son cœur se serra comme s'il l'avait lui-même tordu avec ses mains. Il accrocha un bout du couvre-pieds, le rabattit sur sa tête. Il revit les questions qui dansaient devant ses yeux et qu'il ne comprenait pas, ses propres réponses dont il ne gardait aucun souvenir de les avoir écrites... C'était la fin de tout, la honte, c'était l'humiliation de l'échec, c'était dense et noir, et ça pesait sur sa poitrine au point de l'empêcher de respirer. Plus rien n'était possible, sa vie était brisée, il n'avait plus d'avenir : il avait perdu une année complète en quelques minutes, et jamais au grand jamais il ne pourrait la rattraper. Parce qu'il était trop orgueilleux. Parce qu'il n'avait pas le courage de tout reprendre, de tout réapprendre des choses qu'il savait déjà. Parce que c'était injuste. Parce qu'une année, pour un enfant de neuf ans, c'était la fin du monde ! Comment expliquer ça avec des mots ? «J'ai été bon toute l'année mais là, tout d'un coup, chus devenu poire ?» Un an de punition, la quatrième redoublée, pour une heure d'impuissance incontrôlable à cause du malheur de quelqu'un d'autre ! Il aurait à répondre à des questions embarrassantes, à récuser des accusations dégradantes. Il aurait à se débattre dans un conflit insoluble. Pour avoir été introduit de force dans la forêt enchantée de l'existence de laquelle il avait tant douté. Il en voulait à Marcel, il s'en voulait à lui-même ; quelque chose de glauque, de visqueux, de vicieux montait de son plexus solaire ; il ne savait pas ce que c'était mais il savait que lorsque ça frapperait son cerveau et qu'il pourrait mettre une image dessus il voudrait mourir. Avant que ça sorte de lui et que ça se mette à tout détruire.

Il connaissait bien le mot révolte, il l'avait souvent croisé dans ses lectures mais il savait que ce qui germait en lui était plus pernicieux, plus subtil aussi, et il était terrorisé.

Il voulut mettre sa main devant sa bouche pour ne pas crier tant son angoisse se faisait cuisante, mais son bras rencontra du papier, un journal, *La Presse* sûrement. Il se découvrit, déplia la feuille froissée sans y penser, comme s'il essayait de temporiser, de retarder une échéance inévitable mais encore un peu manipulable dans le temps. Il comprit immédiatement l'importance que cette page pouvait avoir pour sa mère, sa tête se vida d'un seul coup de tous ses problèmes et il sourit. Un nouveau mot. Télévision. Le cinéma chez soi.

Il pleuvait des étoiles par millions. Il n'avait pas besoin de regarder un coin particulier du ciel, partout elles mouraient en traînant derrière elles une plainte silencieuse de poussière dorée. La voûte, d'un noir opaque, ressemblait à l'intérieur d'un parapluie dont les baleines de métal auraient été lumineuses. Tout se faisait dans une absence de bruit un peu angoissante : ces choses incandescentes qui tombaient vers lui à une rapidité folle devaient pourtant produire un épouvantable vacarme ! Il se dit qu'on avait peut-être coupé le son comme à la salle paroissiale, le samedi après-midi, quand les enfants sont trop agités et qu'on veut les punir. Mais il n'était pas aux vues, il n'était même pas en ville, il était loin, très loin, au cœur des Laurentides et il flottait sur un de leur million de lacs, un ancien cratère de volcan frangé de résineux qui sentaient violemment la pomme de pin.

Le quai s'avançait assez loin dans le lac ; il savait qu'il était couché au bout de ce long quai et que quelqu'un, une femme, se tenait assise près de lui, à sa droite, les mains posées sur les genoux, la tête levée vers le ciel elle aussi. La lune n'était pas encore levée même s'il était très tard. Une voix, lointaine, presque sans intonation, trop lente, lui murmura ce qu'il savait déjà: «Y'en n'aura pas, de lune, à soir. Le monde est en punition.»

Il se disait tant mieux si le monde est en punition. Il se sentait soulagé comme si la lune, trop présente, trop claire, avait risqué de compromettre la pluie d'étoiles si elle avait décidé de se montrer.

«Pourquoi y tombent, les étoiles?» Lui aussi parlait trop lentement. Et de trop loin.

Le mouvement désordonné se fit tel dans le ciel qu'il dut fermer les yeux un instant. (En fait, le soleil lui chauffait les paupières parce qu'un rayon avait réussi à percer la voûte de fleurs.) La voix était plus rapprochée, plus chaude, plus nuancée. «C'est la nuit du grand suicide. Toutes celles qui en ont assez se jettent sus nous autres cul par-dessus tête.

— Y'en ont assez de quoi?»

Il ouvrit les yeux. Un visage se présenta à l'envers dans son champ de vision. D'abord le front, puis les yeux, puis le reste. Il l'avait vue mourir, il s'en souvenait très bien, il avait guetté son âme qui refusait de monter au ciel. Il avait eu peur d'elle pendant des années puis, une nuit de tempête de neige, il l'avait vue s'éteindre comme une vieille chandelle au bout de sa mèche. On (elles: Rose, Violette, Mauve et leur mère Florence) lui avait promis une cérémonie d'une grande beauté, avec la vision d'une âme qui quitte le corps pour s'envoler vers quelque chose de haut et de considérable, et il n'avait aperçu qu'un regard fixe d'une insoutenable tristesse dans un visage ravagé par la maladie et la vie. Victoire. Sa grand-mère.

«De toute. Comme toé. Comme moé.»

Il se tordit un peu le cou pour essayer de la voir à l'endroit. Elle lui posa une main sur les yeux.

«C'est pas moé qu'y faut regarder.»

Il voyait très bien au travers de ses doigts la pluie silencieuse qui continuerait jusqu'au matin.

«Pourquoi juste à soir? Pourquoi les étoiles se suicident juste à soir, grand-moman?»

La main quitta son front et monta très haut dans le ciel comme pour en ramasser quelques-unes et les lui apporter. Une poignée de bleuets brûlés.

«Y choisissent une nuit sans lune. Pour qu'on les voie.»

Sans transition, comme si on avait fait un nœud dans le temps, sans voir Victoire se pencher sur lui, il se sentit soulevé, projeté vers le ciel. Il était maintenant au milieu d'elles. Sa grand-mère le tenait à bout de bras, face aux étoiles agonisantes. Il n'avait plus quatorze ans, il avait tous ses âges en même temps, il était tous les Marcel qu'il avait été et ses souvenirs n'en formaient plus qu'un, d'une grande, très grande tristesse. Avec des éclairs de joie fulgurante mais qui se situaient tous dans le passé. Devant lui, une insoutenable grisaille qu'il n'avait pas envie de connaître.

Quelqu'un, sa grand-mère, l'offrait au complet, tel quel, en sacrifice. Mais à qui?

Une image se fixa dans sa tête. Un tableau vivant formé de quatre femmes assises dans des chaises berçantes et d'un chat qui se nettoyait le museau avec sa patte gauche.

«T'as voulu les écouter, t'as mangé à leur table, t'as appris leurs folleries, t'es as aimées plus que le reste. T'as choisi le chemin qui mène jusqu'icitte. Tant pire pour toé.»

Elle le laissa tomber dans l'eau. La pluie d'or, désordonnée, presque hystérique, continuait. Pendant que sa grand-mère maudissait ces voisines qu'elle avait toujours refusé de voir, à qui elle avait toujours refusé de se livrer et qui, aujourd'hui, s'en prenaient à son petit-fils après lui avoir enlevé son frère, son amour, sa vie.

Au cœur de l'eau noire celui qu'il avait peu connu mais qui l'avait aidé à vivre avec son entrain et ses histoires sans queue ni tête jouait du violon.

Les deux Carmen se tenaient au pied de l'escalier, silencieuses parce qu'elles n'avaient jamais rien à se dire quand elles se retrouvaient toutes seules. En gang, avec autour d'elles l'enfant de la grosse femme, Jay Pee Jodoin, Linda Lauzon, Claude Lemieux, Manon, la sœur de Carmen Brassard, Bernard, le frère de Carmen Ouimet, elles devenaient volubiles, elles se parlaient volontiers, elles se prenaient même souvent par la taille, probablement d'une façon automatique, sans trop y penser, mais à la fin d'une journée de jeu ou au retour de l'école quand elles rentraient ensemble chez elles (elles étaient voisines et leurs mères qui ne se fréquentaient pas avaient été étonnées d'avoir donné le même prénom à leurs filles nées à quelques jours d'intervalle), un silence épais tombait entre elles, elles en étaient gênées et s'éloignaient un peu l'une de l'autre comme si un champ magnétique presque palpable les faisait se repousser quand elles n'étaient pas entourées.

Carmen Ouimet en souffrait, pas Carmen Brassard.

La première, banale, discrète, timide jusqu'à la maladie et qui rêvait secrètement d'un rapprochement avec son amie même si elle le croyait impossible, laissait toute initiative à l'autre qui, elle, diserte et délurée, frondeuse et souvent mal polie mais surtout mal à l'aise devant l'attente de celle qu'elle trouvait bien collante, perdait tous ses moyens, par ennui ou par indifférence, quand elles se retrouvaient seules et s'éteignait d'un seul coup, une ampoule électrique rendue au bout de son pouvoir : une seconde, elle embrassait furieusement Jay Pee Jodoin qu'elle trouvait trop de son goût ou donnait une tape amicale sur les fesses de Claude Lemieux, puis, la seconde suivante, les autres parties, plus rien ; elle figeait au milieu d'un geste ou ne finissait pas l'éclat de rire auquel elle avait entrepris de faire traverser la rue Fabre... et s'éteignait. Carmen Ouimet la voyait littéralement se vider de son énergie et culpabilisait : c'était sa faute, elle n'était pas assez intéressante, elle ne pouvait pas, à l'instar de l'enfant de la grosse femme, provoquer des images enthousiasmantes juste en contant des choses, même insignifiantes, ou, comme Jay Pee, produire des sourires qui vous faisaient fondre les intérieurs, ou même, comme Claude, dire des niaiseries qui le rendaient intéressant à force d'être niaiseuses ; non, elle n'était que la quelconque Carmen Ouimet qui n'avait rien à dire et qui ne le disait pas.

Elles n'avaient pas décidé d'aller attendre l'enfant de la grosse femme au pied de l'escalier de sa maison, genre : on l'a pas vu à matin, pourquoi on irait pas s'asseoir sur les marches du bas en attendant qu'y sorte ; non, sans se regarder, elles avaient traversé la rue Fabre (il aurait d'ailleurs été très difficile d'expliquer pourquoi elles sortaient presque toujours de leur maison au même moment, comme mues par la conscience que l'autre aussi se dirigeait vers la porte, l'ouvrait, traversait le balcon, descendait les trois marches qui menaient au parterre...) et s'étaient installées sans se parler mais avec des gestes qui se ressemblaient, l'une replaçant ses cheveux — Carmen Brassard, orgueilleuse de sa tignasse presque rousse —, l'autre lissant les plis de son uniforme.

Quelques minutes s'étaient écoulées. Carmen Brassard était perdue dans ses pensées et fredonnait une chanson western qu'elle avait entendue à la radio. Carmen Ouimet avait les yeux baissés sur ses genoux. Le soleil venait de disparaître derrière la maison; elles étaient bien malgré la chaleur. Pour la première fois l'idée vint à Carmen Ouimet que la parole, une conversation suivie ou des riens dits juste pour occuper le temps, aurait été superflue et elle en fut étonnée. Mais elle n'eut pas le temps d'en être ravie: Claude Lemieux sortit de chez lui, en face, en hurlant: «Si on s'en va à Saint-Ustache, j'vas me sauver! Pis tu me retrouveras jamais!» On entendit la voix de sa mère qui venait du fin fond de la maison: «... f'ras c'que j'voudrai, c'est toute! Qui c'est qui mène, icitte?»

Carmen Brassard soupira au milieu de sa ligne mélodique puis cria à son tour: «Aïe, Claude, tu t'en vas pour l'été? On va être ben débarrassés!», même si elle n'en croyait pas un mot. Il lui répondit sur le même ton: «Tu vas tellement t'ennuyer de moé que tu vas faire une dépression nerveuse au bout de deux jours!» La porte s'ouvrit là-haut, derrière elles, et l'enfant de la grosse femme sortit sur le balcon. Les deux Carmen se levèrent en même temps. De loin, parce qu'ils demeuraient à une dizaine de maisons de là, on pouvait voir le cousin et la cousine de Carmen Ouimet, Jay Pee Jodoin et Linda Lauzon, s'en venir en courant. On voyait leurs pieds frapper le ciment, on en entendait le bruit quelques secondes plus tard, déphasé, irréel, comme s'ils avaient couru dans un film mal synchronisé.

Le noyau se forma d'une façon très géométrique : Claude Lemieux et l'enfant de la grosse femme avaient chacun un escalier à descendre pour rejoindre les deux Carmen, Jay Pee et Linda se dépêchaient pour arriver en même temps qu'eux.

Ils étaient un nœud, un cœur, dans la rue Fabre ; un nœud d'intrigues d'enfants du même âge qui s'aiment presque trop et qui ne peuvent pas s'empêcher de se faire autant de mal que de bien ; le cœur, la source, l'origine de la vie même de la rue : les rires stridents qui défonçaient le ciel d'été alors que personne d'autre qu'eux n'avait la force de s'amuser dans la canicule dévastatrice ; les cris d'horreurs pendant les parties de cachette alors que le défi n'était pas tant de trouver ceux qui se cachaient mais de leur faire peur ; ceux, plus courts mais non moins intenses, qui s'élevaient dans l'air glacial de l'hiver quand les enfants se jetaient dans les bancs de neige du haut des balcons du deuxième étage et même parfois (Jay Pee, évidemment, avec son sourire Pepsodent quelque peu figé) du troisième étage ; les courses folles pour rattraper celui (ou celle) qui venait de lâcher un pet particulièrement vicieux ; les conversations qui duraient des heures et des heures sur des sujets aussi variés que la folie des professeurs (frères et sœurs, même folie dangereuse), la cuisine de leurs mères (les spécialités variaient et étaient défendues avec une ardeur passionnée), les émissions de radio (l'enfant de la grosse femme avait une évidente faiblesse pour «Yvan l'intrépide» alors que Linda Lauzon ne jurait que par «Un homme et son péché» et que Claude Lemieux écoutait amoureusement chaque après-midi «Les p'tits bouts de choux» de Guy Mauffette), ou le dernier film vu à la salle paroissiale surtout si, par chance, il avait été en français.

Quand ils se réunissaient comme en ce début d'après-midi, sans s'être concertés mais sûrs de se retrouver, la rue Fabre flambait de vie et les autres enfants, qui n'avaient pas leur âge et qui n'occupaient qu'une place plutôt sporadique dans leur groupe, les enviaient.

C'est qu'ils étaient tous nés la même semaine, de mères qui pour la plupart ne les avaient pas planifiés, qui faisaient des enfants parce qu'il le fallait ou plutôt parce qu'il était défendu d'avoir des rapports sexuels si ce n'était pas dans le but d'en faire, et que ces naissances presque simultanées en ce début d'été 1942 les soudaient en un bloc compact qu'il était impensable d'essayer de morceler. Non seulement avaient-ils le même âge mais, en quelque sorte, ils avaient la même âme, quelque chose de grand et de puissant qu'ils partageaient à six et qu'ils étaient convaincus, naïfs enfants, qu'ils allaient partager jusqu'à la fin de leur vie.

Aussi la nouvelle du départ imminent de Claude Lemieux tomba-t-elle au milieu d'eux comme une bombe. L'enfant de la grosse femme ne l'avait pas vraiment crue, au retour de l'école ; il avait pensé que c'était une autre menace de Madame Lemieux et l'avait presque tout de suite oubliée.

Il faut dire que madame Lemieux était la reine des menaces : vingt, trente fois par jour, et toujours dans un langage sinon fleuri au moins très imagé, elle menaçait son fils des pires sévices avec une conviction qui donnait la chair de poule à ceux qui pouvaient l'entendre et qui étaient nombreux parce qu'elle parlait fort et de préférence devant une porte ou une fenêtre ouverte : cela passait de la maison de correction (pas n'importe laquelle : celle des *enfants criminels,* avec le mot criminel prononcé avec un bruit de gorge qui faisait frissonner) à une séance prolongée de strappe (pas n'importe laquelle mais la grosse, la noire, l'épaisse, celle dont un seul coup bien placé sur la fesse laissait une marque cuisante durant des heures, et c'était des centaines, des milliers de coups qu'elle promettait, une série sans fin qui allait tanner définitivement les fesses de son fils), en passant par une nuit d'hiver suspendu sur la corde à linge, attaché par les oreilles (que Claude avait grandes) jusqu'à ce qu'il devienne raide comme une combinaison d'homme qu'on a oubliée de rentrer la veille, ou à la réclusion pendant des semaines dans le bas de l'armoire où germaient les patates et même, quand il avait fait un coup vraiment pendable ou qu'elle-même était particulièrement excédée, à une séance de repassage dans laquelle il jouerait le rôle de la jupe plissée qu'on est obligé de triturer avec le fer pendant des heures.

Mais Claude revint en ce début d'après-midi avec la preuve irréfutable que cette fois sa mère n'exagérait pas et que la menace était bien réelle et définitive : elle avait commencé à faire des boîtes sous son nez pendant qu'il mangeait son repas.

Les protestations qui s'élevèrent alors étaient d'autant plus étonnantes que Claude était loin d'être le membre le plus populaire de la tribu : on pouvait même dire qu'il en était le souffre-douleur. Mais peut-être les enfants comprirent-ils rapidement qu'un souffre-douleur se remplace difficilement. Et qu'un nouveau est sans doute très long à dresser. Après tout, il n'y avait pas très longtemps que celui-ci n'essayait plus de se révolter et ils le connaissaient depuis toujours ! Et peut-être comprirent-ils aussi, confusément, sans le mettre en mots mais en ressentant un gros pincement dans la sensible région du cœur, qu'ils l'aimaient bien, Claude Lemieux, avec son haleine de banane et ses perpétuelles jérémiades. Et même qu'ils l'aiment plutôt beaucoup.

Linda Lauzon, la grande perche du groupe, celle dont la mère disait que si elle continuait à grandir de même elle allait pouvoir servir de paratonnerre sur la croix du Mont-Royal, l'avait affectueusement pris par l'épaule alors qu'elle avait plutôt l'habitude de le pincer à la moindre occasion.

« Quand est-ce que vous allez partir ?

— Chais pas... Ben vite parce que meman a commencé à paqueter la vaisselle.

— A' commence par la vaisselle? Est ben niaiseuse! A'l' a jamais déménagé? La vaisselle, c'est la darnière affaire qu'on met dans des boîtes! Tu peux avoir besoin de la vaisselle n'importe quand! D'un coup que tu veux manger juste avant de partir! D'un coup que tu veux boire un verre d'eau, que c'est que tu vas faire?»

Carmen Brassard coupa la parole à Linda en la poussant pour prendre sa place auprès de Claude.

«Que c'est que t'en sais, toé, la grande spécialiste en vaisselle? T'as jamais déménagé de ta vie... Si t'as soif, tu bois un coke, épaisse! Pis si t'as faim, tu vas t'acheter un sac de chips chez Marie-Sylvia! Tu devrais suggérer à ta mère de déménager plus souvent, ça nous soulagerait de ta présence!»

Elle s'empara littéralement de Claude qui lui en sut gré parce que Linda Lauzon ne sentait pas très bon. Elle ne puait pas franchement, là, d'une grosse puanteur qui faisait frissonner, mais elle ne sentait pas bon le relent de vieux pipi séché dans une culotte pas trop souvent lavée. Sa mère, Germaine Lauzon, était propre mais Linda, allez savoir pourquoi, détestait changer de sous-vêtements et les cachait même jusque sous son oreiller pour que sa mère ne les trouve pas. Elle avait déjà dit aux deux Carmen que c'était par pudeur mais ces dernières n'avaient pas trop compris le sens de ce mot.

«T'es sûr qu'a' t'emmène sus ta grand-mère pour plus que juste l'été?

— Sûr, a'l' a faite mon entrée à l'école de là pis toute!»

Il y eut un silence que personne ne brisa parce que personne ne trouvait rien à répondre à cet autre irréfutable argument: l'école de Saint-Eustache attendait Claude.

Ils ne se regardaient pas non plus, peut-être par peur d'éclater en sanglots devant la binette sûrement déconfite que devait arborer leur ami.

L'enfant de la grosse femme se dit que c'était une journée maudite, une journée noire, alors qu'il avait cru, en voyant naître l'été, le matin même, qu'il était un privilégié, un élu, et que rien ne pouvait plus l'atteindre pendant qu'il était en train de tout perdre, son honneur et son meilleur ami.

Ils n'entendirent pas non plus Claude Lemieux commencer à pleurer. Quand Carmen Ouimet leva les yeux vers lui, aussi jalouse que compatissante parce qu'il était dans les bras de Carmen Brassard, les larmes coulaient déjà depuis un certain temps sur ses joues, sur son nez, sur son menton qui branlait, prélude à une crise qui allait être violente et longue et qui allait... les mettre en retard à l'école! Elle regarda sa montre (elle était la seule dans le groupe à en posséder une et servait de cadran dans les sorties où il fallait revenir à une heure précise, genre cinéma ou promenade au parc Lafontaine) et lança un cri strident qui rendit la vie au groupe figé dans la stupeur.

«Une heure moins trois! Maudite marde, on va t'être en retard!»

Un vol d'oiseau levé par un coup de carabine ou l'intrusion d'une bête de proie. Sans y penser, même Claude Lemieux qui avait pourtant de la difficulté à voir où il mettait les pieds à cause des larmes qui l'aveuglaient, ils se retrouvèrent tous les six en train de courir à toute vitesse ; la ruelle était déjà traversée, la rue Gilford approchait. Six oiseaux fous de peur se dirigeaient vers l'école Saint-Stanislas et l'école des Saints-Anges, les garçons tournant au coin de Gilford, les filles continuant sur le chemin des filles. Pas de bonjour, à tout à l'heure, pas de bonne chance dans vos examens, ils n'avaient qu'une idée en tête : ne pas arriver après le son de la cloche.

En passant devant le 1474 de la rue Gilford, l'enfant de la grosse femme ne ressentit rien et se dit que Marcel n'était plus là, que la forêt enchantée était déserte, que la vie ne valait pas la peine d'être vécue.

Il avait assisté à toute la scène en se faisait le plus petit possible sous l'escalier extérieur. Il avait treize ans, eux neuf, et c'est pourtant lui qui se cachait, tremblant de peur à l'idée qu'on le découvre, dissimulé derrière un maigre buisson de quelconque feuillage qui s'étiolait par manque de soleil, le cœur serré lorsqu'un des enfants tournait la tête vers lui, ravi d'entendre que Claude Lemieux allait déménager (un de moins!) mais déchiré de lire la peine sur le visage de son cousin.

Après tout, s'il annonçait, comme ça, à brûle-pourpoint, qu'il partait lui aussi, qu'il allait disparaître peut-être pour toujours, qui, qui, mon Dieu, dans le monde, se désolerait ainsi? Ne devinerait-il pas plutôt des visages soulagés sous les protestations de circonstance qu'on lui servirait sûrement? Des signes qui ne trompent pas: l'œil de sa mère qui s'allume malgré elle quand quelque chose d'agréable lui tombe dessus trop brusquement pour lui donner le temps de se composer un visage; la bouche de sa tante qu'elle plisse par en bas quand elle ne veut pas qu'on devine son contentement, habituellement provoqué par une autre finesse de son fils; son cousin qui rougit tout d'un coup sous

153

l'effet d'une joie violente... Est-ce ça qu'il lirait sur les visage de sa famille au lieu du déchirement normal, de la douleur insupportable de le voir partir, lui, Marcel, qu'ils *devraient* aimer, oui, c'était un devoir, qu'ils *devraient* aimer parce qu'il était le plus malheureux de tous?

Duplessis l'abandonnait effrontément depuis quelque temps mais s'il annonçait à son chat qu'il l'abandonnait à son tour, qu'il partait pour... qu'il partait pour un pays où les chats, même miraculés, même magiques, ne sont pas acceptés, que se passerait-il? Duplessis réapparaîtrait-il tout d'un coup, gras, soyeux, joyeux, superbe, en lui disant c'tait juste un tour, j'faisais ça pour t'étriver, viens icitte qu'on se fasse une séance de caresses de trois jours? Ou bien crierait-il en roulant ses r comme il le faisait quand il voulait se moquer de sa façon à lui de parler: bon débarrrrras, le yable s'en va?

Il essaya d'imaginer la rue Fabre sans lui... y arriva facilement et ne vit aucune différence. Il sombra un peu plus profondément dans sa noire mélancolie parce qu'il fut immédiatement convaincu que la rue Fabre sans lui allait continuer, inchangée par son départ, peut-être même un peu soulagée de ne plus sentir cet avorton lui traîner dessus avec son désespoir insoluble, ses mensonges qui n'en étaient pas, ses amours qu'il ne savait pas exprimer et qui sortaient de lui en vagues d'agressivité envers tous ceux qu'il aurait voulu écraser d'affection. Il était une quantité négligeable dans la rue Fabre, un adolescent atteint d'une maladie honteuse qui portait ombrage à sa famille, un imbécile qui ne savait que dessiner des barbouillages de commande parce qu'incapable d'apprendre quoi que ce soit... Non, c'était faux... Il tourna la tête en direction du parterre d'à côté, des marches de bois qui menaient au perron, de la porte vernie qui luisait toujours un peu plus que les autres portes de la rue Fabre... Là était tout le savoir du monde, tout le bonheur, la grâce, l'indescriptible grâce de la connaissance. Et tout ça lui échappait par couches successives, on le dépouillait, on le déshabillait de tout ça sans qu'il l'ait mérité. Sans qu'il l'ait mérité !

Il voulut crier, un beau grand cri de révolte qui aurait stupéfié la rue Fabre perdue dans la contemplation de ses premières heures de l'été, mais un bruit au-dessus de lui lui fit rentrer la tête dans les épaules. Un bruit de pas qu'il connaissait bien. Le toc toc d'un talon aiguille sur le balcon, sur les premières marches de l'escalier. Sa mère descendait.

Il n'avait pas vu les enfants se sauver en courant, il n'aurait pas su dire depuis combien de temps il était «parti» dans ses imaginations. Il aurait tout aussi bien pu être une heure à peine que quatre heures moins quart : ces absences, très différentes de ses crises, étaient de longueur variable mais semblaient toujours étonnamment courtes.

Il vit les jambes de sa mère, le bas de sa jupe, sa taille, son cou. «A' me charche ! A' va crier mon nom à pleins poumons au beau milieu de la rue pis j'vas avoir honte, encore ! Pis elle a' va y penser de regarder en dessours de l'escalier !» Il s'enfouit un peu plus profondément dans le buisson famélique et fut convaincu d'avoir fait un bruit absolument énorme.

155

Albertine s'arrêta au pied de l'escalier, replaça ses bas de nylon qu'elle portait si rarement et qui avaient tendance à ravaler.

C'était la première fois qu'il la voyait de dos alors qu'elle se croyait seule. Et il la trouva étonnamment vulnérable dans sa robe bleue à pois blancs. Il sortit la tête du buisson en fronçant les sourcils et le nez. Les marches de l'escalier la coupaient en quatre parties distinctes : la tête et les épaules, le dos, le fessier, les jambes. Elle sembla hésiter entre continuer son chemin vers la rue Mont-Royal ou remonter les marches. Elle fit glisser l'anse de son sac à main vers son coude, replaça ses cheveux qui frisaient trop sur la nuque, toussa dans son poing, mal à l'aise, puis reprit sa marche d'un bon pas comme si elle venait de prendre la décision la plus importante de sa vie.

Quand elle fut rendue devant chez les L'Heureux, il sortit de sa cachette, se planta au milieu du trottoir et l'observa encore plus attentivement. Une grande partie de ses malheurs, endimanchée et presque pimpante, s'éloignait vers la rue Mont-Royal, inconsciente de son regard, délicieusement fragile. C'était une femme somme toute insignifiante, non, pas insignifiante mais... inoffensive vue sous cet angle : une jupe large qui se balance d'un côté et de l'autre, un tic du coude droit parce que le sac à main est achalant, le pied, plus très habitué au talon haut, qui hésite sur les craques du trottoir... Pas de tempête, pas de hurlements, pas de menaces, pas même le soupçon d'un soupçon de tout ça... Une femme pareille à sa tante, mais moins grosse. C'est tout ! Elle ne répondit pas au salut de madame Jodoin qui balayait son bout de trottoir mais il n'y vit aucune agressivité.

Il pencha un peu la tête sur son épaule gauche et se dit qu'on devrait toujours contempler ses malheurs de dos.

La cloche avait sonné comme les trois garçons mettaient le pied dans la cour d'école ; ils n'eurent donc pas le temps de se souhaiter bonne chance pour l'examen de géographie. Jay Pee Jodoin joignit les rangs de la quatrième B pendant que l'enfant de la grosse femme et Claude Lemieux prenaient leur place habituelle parmi les élèves de leur classe.

L'atmosphère avait changé depuis le matin à l'école Saint-Stanislas. Le vrai gros morceau, l'examen le plus redouté, le plus haï, l'horrible examen de français, était passé ; il avait été difficile, autant en neuvième année qu'en quatrième, on en avait beaucoup parlé, on avait insulté, sali, maudit les mystérieux spécialistes de la langue française qui l'avaient concocté quelque part à Québec, on leur avait souhaité un été épouvantable agrémenté de souffrances de toute sorte et de maladies plus vénériennes et plus mortelles les unes que les autres, mais l'après-midi qui venait se passerait bien parce qu'on n'avait pas vraiment peur de la géographie ni des mathématiques. Quelques cruches, oui, incapables de retenir la capitale du Manitoba et celle de l'Ontario ou que le symbole de la division faisait frémir, fronçaient un peu les sourcils d'inquiétude mais c'était la minorité des vrais cancres, de ceux qui passent une partie de l'année scolaire dans le coin de la classe, le nez au mur, ou à la porte du bureau du frère sous-directeur dans l'attente d'une bonne séance de strappe. Les irrévocables, ceux, comme Claude Lemieux, qu'on endurait malgré tout dans les cours normaux parce que la classe auxiliaire était déjà trop fréquentée.

Une certaine nonchalance pouvait donc se lire dans le comportement des élèves de l'école Saint-Stanislas qui le matin même avaient frémi de peur : cela allait du décrottage de nez aux histoires salées racontées dans le dos de celui qui vous précède dans le rang pour le faire rire, en passant par d'ostensibles bâillements sonores et les inévitables grimaces et bras d'honneur échangés d'une classe à l'autre pour prouver sa virilité.

L'enfant de la grosse femme, lui, était fou d'inquiétude. Il guettait le frère Robert, redoutant le moment où le professeur jetterait dans sa direction un regard de curiosité ou d'incompréhension, genre : «Que c'est qui vous a pris à matin, pour l'amour du bon Dieu !», ou bien : «Avez vous faite exiprès pour nous faire honte, vous, un de nos meilleurs élèves !», mais il savait bien que les copies d'examen n'étaient pas corrigées à l'école même et qu'elles partiraient en fin de journée pour une autre école où un professeur qui ne le connaissait pas allait rire de lui ou bien lire sa copie idiote avec une indifférence encore plus insultante. Un autre ignorant, zéro. Y reprendra sa quatrième, c'est toute.

Reprendre sa quatrième! Il se voyait tout refaire son année en compagnie d'une gang de niaiseux plus jeunes que lui qui allaient le haïr parce que, forcément, il allait tout savoir avant même que le professeur (le même?) ouvre la bouche. Une année complète d'angoisse, de honte, à regarder ses amis, pourtant moins bons que lui, apprendre des choses qui lui seraient encore interdites parce que, lui habituellement si contrôlé, il se sera laissé dérouter, distraire, perturber, par les maudites niaiseries d'un maudit niaiseux!

Quelque chose qui ressemblait non pas à de la vraie haine parce que l'enfant de la grosse femme était tout à fait incapable de haïr son cousin, mais à une sorte de ressentiment pour Marcel, naquit quelque part au niveau de son cœur. Ça ne venait pas de sa tête, ce n'était pas une chose raisonnée; c'était chaud, ça se tordait dans sa poitrine, ça se nouait dans sa gorge et ça ne montait pas plus haut. C'était différent, aussi, de la révolte qu'il avait ressentie dans la chambre de ses parents une heure plus tôt parce que c'était dirigé vers l'extérieur plutôt que sur lui-même. Et ça se produisit très vite, pendant que sa classe se mettait en branle. Il mit un pied devant l'autre, sentit comme un léger frisson, et la toute petite explosion intérieure survint, venant de nulle part et parfaitement incontrôlable, monta le long de sa colonne vertébrale, bloqua dans sa gorge dans une esquisse de petit cri de souris que personne, heureusement, n'entendit. Puis le besoin de varger sur son cousin vint et repartit dans un même souffle rapide: il voulait l'étriper, lui arracher la tête, c'était violent, impératif, vital, puis il ne voulait plus que l'oublier, le couvrir du mépris condescendant qu'il méritait parce que, vraiment, il ne méritait rien d'autre. Tout cela allait et venait en vagues rapides et il se sentait ballotté entre des sentiments opposés qui lui donnaient le vertige. Il avait d'abord connu la honte de lui-même devant une défaillance nouvelle ; il se retrouvait maintenant avec une envie de détruire quelqu'un d'autre qu'il ne se soupçonnait pas non plus en se réveillant ce matin-là. Il marchait quand même derrière les autres élèves, automatiquement, sans penser à ce qu'il faisait. Il se dirigeait vers la classe où l'attendait peut-être un autre échec qui lui donnerait encore plus l'envie d'assassiner son cousin. Pourtant innocent, il le savait bien.

Il passa tête basse devant le frère Robert. Il eut même un geste de recul qui étonna son professeur, comme s'il s'était attendu à recevoir une claque derrière la tête. C'était un tic de dernier de classe, de cancre habitué à se faire prendre et à payer pour tous et chacun des coups les plus pendables aux plus insignifiants, c'était un réflexe automatique qui lui ressemblait tellement peu que le frère Robert qui, déjà, le matin, avait trouvé son comportement plutôt bizarre, décida de le surveiller de plus près. Cet enfant plutôt calme et plutôt brillant était arrivé en classe en retard et tout crotté, en même temps et dans le même état que son cousin, le fou, qui commençait peut-être à avoir une mauvaise influence sur lui, il avait été impoli et l'un des derniers à remettre sa copie alors qu'il passait habituellement à travers les examens avec une vitesse surprenante. Tout, depuis le matin, étonnait chez lui.

Le frère Robert avait déjà vu des élèves brillants craquer pendant les examens, apparemment sans raison ; ils s'assoyaient à leur pupitre comme si de rien n'était, s'écroulaient devant un questionnaire pas toujours difficile et ne s'en relevaient pas. Étaient-ce les menaces de parents trop sévères qui les faisaient s'affaisser ou leur propre système nerveux qui les lâchait ? Questionnés, ils répondaient habituellement qu'ils ne savaient pas ce qui s'était passé, qu'ils ne comprenaient pas, qu'ils étaient convaincus que si on les remettait devant le même examen ils le réussiraient très facilement, que ç'avait été comme un trou, un vide, un blanc passager sur lequel ils n'avaient eu aucun contrôle... Parfois on sentait que tout ça cachait quelque chose de plus profond, de plus grave, mais on arrivait rarement à les faire parler.

Le frère Robert n'avait aucun moyen de vérifier si la même chose était en train de se produire dans le cas de son élève : les copies de l'examen du matin étaient déjà rendues au bureau du directeur, probablement scellées dans de ridicules enveloppes «secrètes» ou «confidentielles», absolument inviolables, même si l'avenir d'un petit enfant de neuf ans en dépendait.

Il le guetterait donc pendant les deux examens de l'après-midi, quitte même à tricher pendant la récréation en jetant un coup d'œil sur sa copie de géographie. Il avait lu le questionnaire avant de descendre dans la cour de récréation et l'avait trouvé particulièrement enfantin. Mais si son élève montrait la moindre difficulté avec cet examen, oserait-il intervenir ?

L'enfant de la grosse femme leva la tête juste avant de monter les quelques marches qui menaient à la porte de l'école. Peter Pan? Oui, Peter Pan était là, sur le toit de l'école, penché par-dessus la gouttière, souriant; il se vit en Peter Pan, penché sur la gouttière, souriant, regardant l'enfant de la grosse femme qui le regardait. La cour de récréation, un grand carré de ciment presque vide maintenant, brillait au soleil d'une lumière très blanche qui le faisait cligner des yeux. Il pouvait descendre vers l'enfant de la grosse femme, se jeter sur lui, devenir lui, le tirer vers le haut, le faire swigner au bout de ses bras en plein ciel pour le faire rire, ou bien le laisser venir à lui, lui donner la liberté de venir le rejoindre sur le toit, se laisser investir, se jeter ensuite dans le vide avec lui sans plus trop savoir qui était qui ou lequel des deux entraînait l'autre. De toute façon, ça soulagerait. Pour un court instant. Comme d'habitude. Mais l'enfant de la grosse femme baissa les yeux et le contact fut rompu. Toute envie de faire des cabrioles dans le soleil avait disparu et il se résigna à suivre les autres.

Les trente et un élèves de la quatrième année C prirent leurs places dans un bouillonnement de murmures et de rires nerveux mal contenus : le seul fait de franchir la porte de la classe avait ranimé en eux leurs démons du matin. La pile de questionnaires était posée sur la table du professeur et tous les regards étaient tournés vers elle.

La géographie avait beau être plus facile que le français, une mauvaise note, surtout à la fin de l'année, était catastrophique. Tous, ils commencèrent mentalement à se réciter les dix capitales des dix provinces du Canada (ç'avait été la grande primeur de l'année, avec les richesses naturelles de chacune des provinces, leur superficie et surtout, quelle horreur!, leur *emplacement* à l'intérieur du pays). Des fronts se plissèrent, des sourcils se tricotèrent serré... Des puzzles du Canada se formèrent, se déformèrent, prenant des allures bouffonnes frisant l'absurde. Bon, c'est quoi la province en forme de poisson juste à côté du Québec? Pis ensuite, là, les trois plates oùsque y'a rien que du Corn Flake qui pousse? Pis celle à l'autre bout du monde avec des montagnes comme ça se peut pus? La Colomb Britannique? Ceux qui trouvaient avaient pendant un court instant le visage illuminé du thaumaturge en plein miracle, les autres baissaient la tête et auraient donné cher pour avoir dans leur pupitre le manuel de géographie qu'ils avaient pourtant tellement haï durant toute l'année.

L'enfant de la grosse femme observa tous les gestes du frère Robert. Il les trouva très lents. Il aurait voulu que tout se passe vite, avoir tout de suite le questionnaire devant lui, l'avoir lu, l'avoir compris ou non, savoir enfin si son cerveau s'était vraiment transformé en sauce aux œufs pendant la nuit ou si son aventure du matin n'avait été qu'une faiblesse passagère.

Le frère Robert prenait lentement la pile de questionnaires, la cognait sur son pupitre, semblait en évaluer le poids (mais y'est ben lent... qu'y'é passe, sinon c'est moé qui va y'aller... ça a pas de bon sens de jouer avec nos nerfs de même...), descendait la marche du podium, s'approchait du premier pupitre du premier rang...

164

L'enfant de la grosse femme tourna la tête vers Claude Lemieux pour tromper son impatience. Une vision d'horreur. Claude Lemieux n'avait aucune notion de ce que pouvait être la géographie, ou un pays, ou une capitale ; il se retrouvait toujours devant une carte géographique comme devant un dessin particulièrement menaçant auquel il ne comprenait tellement rien qu'il pouvait rester immobile, le regard fixe, pendant de longues minutes sans même se rendre compte que le professeur lui parlait. C'était un enfant hypnotisé par l'absurdité de la géographie. Il était blême à faire peur et s'était écrapouti sur les reins, peut-être pour disparaître dans le plancher.

Le frère Robert parlait. L'enfant de la grosse femme sursauta.

«Vous pouvez être content. Celui-là est à votre niveau. C'est juste sur la province de Québec. Même Lemieux a des chances de s'en sortir.»

Un grand soupir de soulagement. Quelques «horrays», mais faibles.

Guy Thivierge, le premier du troisième rang où se trouvait le pupitre de l'enfant de la grosse femme, approchait, trop lentement lui aussi. Il fit un clin d'œil à son ami François Whilehlmy avec qui il allait essayer de tricher par tous les moyens, qui étaient peu nombreux vu l'emplacement de leurs pupitres respectifs.

Enfin la feuille fut posée devant lui. Il ferma les yeux, fit une courte prière du genre de celle dans laquelle on promet tout au bon Dieu et pour le restant de ses jours s'il nous accorde ce que l'on veut, prit une grande respiration...

C'était d'un niaiseux consommé.

Au lieu d'être soulagé d'avoir retrouvé ses esprits, il fut terrassé par un éclair de rage. Cette fois, ça ne venait ni du plexus solaire ni de son cœur : c'était bel et bien raisonné, c'était froid, étonnamment contrôlé et d'une grande laideur.

L'examen fut réglé en quelques petites minutes : la capitale, les richesse naturelles, la superficie approximative, le nom du premier ministre (question qui allait d'ailleurs revenir dans l'examen d'Histoire du Canada, le lundi suivant), les fleuves, leurs affluents, etc. Il écrivait par grands coups comme si chacune des questions avait été une insulte personnelle, sans réfléchir parce que c'était trop facile et qu'il était trop pressé. Il ne prit même pas la peine de relire ses réponses et courut, le premier, bien sûr, porter sa feuille au frère Robert qui n'en revenait pas.

L'enfant de la grosse femme se retrouva dans la cour d'école vide, s'assit sur une des marches de ciment. Il haletait. Peter Pan n'était plus là parce qu'il n'en avait absolument plus besoin.

Tout était de la faute de Marcel. Et Marcel allait payer. Cher.

Si sa tante ne l'avait pas appelé, il ne serait pas rentré chez lui cet après-midi-là. Comme d'habitude, mais c'était de plus en plus difficile, il aurait essayé de trouver refuge chez Florence et ses filles. Mais sa tante était là, sur le balcon, bien tangible, elle, bien réelle, elle l'appelait doucement, appuyée sur le garde-fou, ses immenses seins posés sur ses bras croisés. Elle le guettait peut-être depuis un bon moment.

«Marcel, viens donc manger. Tu dois avoir faim, y'est une heure et demie passée...»

Une fois de plus il avait perdu la notion du temps. Il avait observé sa mère qui s'éloignait vers la rue Mont-Royal, puis, lorsqu'elle avait disparu, il avait continué à regarder dans la même direction, très droit au milieu du trottoir, le corps un peu penché par en avant, tendu, fébrile, comme s'il avait attendu le signal de départ d'une course mystérieuse dont il aurait été le seul candidat, une course très importante qui le mènerait là où il n'avait jamais osé aller, une destination nouvelle qu'il venait de découvrir et qu'il lui était impérieux d'atteindre. Les minutes avaient passé sans qu'il s'en rende compte. Si sa tante ne l'avait pas sorti brusquement de son rêve, serait-il resté là tout l'après-midi à ressembler à une statue de sel sur une commode de chambre à coucher?

Il ne bougea pas tout de suite, pris entre l'envie de courir, celle de se réfugier dans la maison voisine et les borborygmes de son estomac dont il venait de prendre conscience à cause de l'intervention de sa tante.

«Décide-toé, Marcel, j'attendrai pas toute l'après-midi! J'ai pas rien que ça à faire!»

Il se décida. Mais en faisant celui qui se fait prier, qui accède à vos désirs par pure magnanimité, uniquement pour vous faire plaisir parce que lui, en fin de compte, là, vraiment... Il monta l'escalier lentement, s'arrêta un peu vers le milieu pour gratter une gale de peinture, s'attarda une seconde fois dans le tournant pour rattacher un lacet qui ne s'était pas défait. Sa tante le regardait faire en dissimulant un sourire moqueur qu'il aurait été bien insulté de deviner. Il voulait l'impatienter comme il le faisait avec sa mère mais n'arrivait qu'à l'amuser.

Arrivé à la hauteur de sa tante, il bâilla.

Elle se redressa, lui tourna le dos et entra dans la maison.

«C'est donc pas drôle d'être adolescent, hein? Toute est plate, tout le monde est ennuyant, la vie vaut pas la peine d'être vécue... En attendant, on entend ton estomac crier jusqu'à la rue Gilford.»

Il lui fit une grimace dans son dos.

168

«Pis garde tes grimaces pour ta mère. Chus pas obligée de faire c'que je fais là, ça fait que joue pas avec mes narfs! Lave-toé les mains, installe-toé pis mange! Si t'es pas à table dans deux menutes, tu vas attendre jusqu'au souper, c'est toute!»

La dureté dans la voix était fausse, il le savait bien. Il soupira d'impatience en se dirigeant vers la salle de bains. Si seulement elle avait été capable d'une vraie agressivité, il lui aurait répondu, ils se seraient chicanés et ça lui aurait fait du bien, mais non... il savait qu'il pouvait s'attarder tant qu'il voudrait, que son repas l'attendrait quand il sortirait de la salle de bains et ça le décourageait.

Il l'avait beaucoup aimée quand il était petit. Mais de loin parce qu'elle avait déjà trois fils qu'elle couvait amoureusement et qu'il avait toujours eu peur qu'elle le rejette s'il s'approchait trop d'elle. Il était donc resté près de sa mère sèche et bête qui ne les couvait pas du tout, Thérèse et lui, qui lui faisait souvent peur avec ses sautes d'humeur imprévisibles et qu'il aurait volontiers échangée contre la mère de n'importe qui d'autre, surtout elle, la mère de ses cousins, la mère parfaite, pleine de caresses, de mots apaisants, de sourires à vous chavirer l'âme. Mais depuis quelque temps la bonté même de sa sante, sa tendresse, sa compréhension, sa patience d'ange, l'odeur de «Tulipe Noire» de Chénard qu'elle dégageait aussitôt qu'arrivait le printemps, ses robes immenses et fleuries en coton usé et adouci par les lavages, bref tout ce qu'il avait tant aimé en elle l'énervait. C'était comme s'il n'avait plus cru en elle. Parce que personne, en fin de compte, ne pouvait être aussi bon.

Au fur et à mesure que Duplessis disparaissait, qu'il perdait contact avec Rose, Violette, Mauve et leur mère, il avait commencé à douter de tout. Surtout des bonnes choses. Et sa tante avait toujours été parmi les meilleures.

Il se souvenait très bien quand ça avait commencé.

Duplessis avait ses premiers trous et était nettement moins gentil avec lui depuis quelques jours. Et ce jour-là son cours de musique avec Violette avait été catastrophique. Il était revenu à la maison furieux et avait été odieux avec sa mère et sa tante. Sa mère lui avait étampé sa main là où ça fait le plus mal et sa joue enflait à vue d'œil. Sa tante, elle, l'avait pris à part et avait essayé de lui faire dire ce qui n'allait pas. Et, pour la première fois, ça l'avait énervé. De quoi se mêlait-elle? Pourquoi toujours vouloir tout savoir? Pour rire de lui, encore, pour aller répéter à ses enfants et à son mari aussi fin et aussi plate qu'elle qu'il n'était pas endurable et qu'elle plaignait Albertine d'avoir donné naissance à un monstre pareil? Il lui avait dit bêtement qu'il avait des problèmes, oui, des gros, oui, mais que ça ne regardait que lui et qu'elle ferait mieux de guetter son plus jeune qui espionnait tout le monde dans la maison, qu'on retrouvait toujours dans quelque recoin où il n'avait rien à faire, ou l'oreille collée contre une porte derrière laquelle se disaient des choses qui ne le concernaient pas, plutôt que de l'achaler lui avec ses questions indiscrètes.

Elle avait froncé les sourcils et avait passé sa première remarque sur son adolescence naissante. Marcel, qui ne se sentait pas du tout adolescent, qui ne savait même pas ce que ça voulait dire, l'avait trouvée bien niaiseuse. Avant de s'éloigner elle lui avait promis de ne plus lui poser de questions, mais en ajoutant qu'elle se tenait à sa disposition, que s'il voulait lui parler elle l'écouterait toujours... et ça l'avait rendu encore plus furieux contre elle.

Ils ne s'étaient pas vraiment reparlé depuis mais chacun de ses gestes à elle, chacun de ses maudits petits sourires complices ou de pure bonté, chacune de ses bonnes paroles pour chacun des habitants de la maison lui avait tapé sur les nerfs. Il se surprenait à la suivre dans la maison pour la prendre en défaut de bonté. Il avait même fini par la poser à côté de sa mère sur l'autel du mépris.

Les mains fleurant un peu trop la lavande parce qu'il s'était mal essuyé les mains, il revint dans la cuisine où, effectivement, un repas l'attendait. Ça sentait affreusement la sauce aux œufs dans la maison et il avait hâte, malgré sa grande faim, de repousser son assiette en disant à quel point ça l'écœurait. Mais à son grand étonnement il trouva un magnifique sandwich au jambon et tomate toasté salade mayonnaise, son favori. Il aurait voulu avoir le courage de le refuser mais il salivait tellement qu'il dut mettre sa main devant sa bouche. Heureuse et convaincue de lui avoir fait plaisir, la grosse femme souriait, appuyée sur le poêle.

Furieux contre elle d'avoir été si gentille et contre lui-même d'être aussi lâche, il s'assit et se mit à dévorer, en sapant comme un démon, cependant, parce qu'il savait qu'elle haïssait ça.

Quelque chose qu'il fit ou peut-être ce regard qu'il lui lança en mâchant sa première bouchée

171

piqua la curiosité de sa tante qui figea un bref instant dans son geste de lui verser un verre de lait. Elle posa la pinte sur la table, s'assit devant lui, le regarda attentivement manger. Il avait envie de l'envoyer chier mais il avait trop faim et dévorait comme s'il ne s'était pas nourri depuis une semaine.

Après la première moitié de son sandwich, il but la moitié de son lait. Et c'est au moment où il essuyait sa moustache blanche avec la manche de sa chemise qu'elle parla.

«Tu manges comme après une de tes crises. As-tu été malade, à matin?»

Il fit celui qui n'entend pas mais à la façon plus lente dont il attaqua la deuxième moitié de son sandwich elle comprit qu'elle avait deviné juste.

«Tu veux pas en parler?»

Il tournait la tête en mâchant, regardait le poêle, la glacière, mimant quelqu'un qui se retrouve seul dans une pièce et qui s'ennuie.

Sa tante se pencha un peu par-dessus la table.

«Marcel, fais pas comme si j'étais pas là! Chus t'assez grosse, tu peux pas pas me voir!»

Il la regarda en sapant.

«Ben oui, j'vous vois. Pis?

— Fais pas non plus semblant que t'as pas entendu mes questions... Pis arrête de faire du bruit avec ta bouche!»

Il avala, s'essuya les dents avec la langue, mâcha lentement un morceau de toast qu'il avait cueilli en chemin, éructa avec une évidente satisfaction.

«C'tait bon. Merci beaucoup.»

Pour éviter de lui sauter dessus, elle se leva, prit l'assiette, le verre, les déposa dans l'évier.

Il n'avait pas bougé.

Elle lui tournait toujours le dos. Elle ouvrit le robinet pour rincer la vaisselle.

«Fais pas ton indépendant, je le sais que tu veux en parler. Si tu voulais pas en parler pantoute, tu serais parti depuis longtemps te réfugier dans ta chambre...»

La chaise de Marcel bascula, la grosse femme entendit un bruit de course, la porte de la salle de bains claqua.

«Si on me demande, vous direz que chus t'aux bécosses!»

Elle resta quelques instants sans bouger puis reprit les gestes éternellement répétés depuis plus de vingt ans: mettre un canard d'eau à bouillir, séparer les tasses et les verres des assiettes, vider une goutte de savon à vaisselle dans le plat en plastique (le plastique était la seule nouveauté dans la cuisine depuis plus de trois ans: Gabriel avait acheté, parce que tout le monde en parlait, que c'était semblait-il la matière de l'avenir, des verres en plastique bleu qui goûtaient le plastique bleu, des assiettes en plastique rouge qui s'étaient rayées tout de suite et qu'elle avait envie de mettre aux vidanges et un plat à vaisselle en plastique vert qui mollissait quand l'eau était trop chaude), attendre en se balançant doucement devant le poêle que l'eau frémisse...

Elle avait maintenant cinquante et un ans, l'âge où ses sœurs étaient depuis longtemps grands-mères, l'âge où la plupart des femmes, après avoir élevé leur famille, se retrouvaient seules avec leurs maris, et s'ennuyaient. Elle n'avait pas le temps de s'ennuyer, c'est vrai, dans cette maison toujours pleine de bruit, de galopades, de chicanes à n'en plus finir et de réconciliations encore plus tumultueuses, mais une grande insatisfaction s'installait insidieusement en elle depuis quelque temps. Ses deux fils aînés ne semblaient pas vouloir quitter la maison, encore moins se marier; ils avaient pourtant de bons métiers et auraient pu se payer un appartement, couper une fois pour toutes le cordon ombilical qui les reliait trop à elle, fonder une famille, avoir des enfants; quant au plus jeune qu'elle avait eu, qu'elle avait voulu à quarante ans passés et qu'elle aimait d'une façon irraisonnée, comme on aime un petit-fils, justement, sa trop grande fragilité l'inquiétait: avait-elle mis au monde un enfant faible parce qu'elle-même n'avait plus eu la force de ses vingt ou trente ans pour le porter, pour l'élever, pour le pousser dans la vie? Elle aurait soixante ans quand lui en aurait vingt et cette pensée la déprimait. Si Richard et Philippe persistaient à ne pas vouloir se marier, devrait-elle attendre la vieillesse pour connaître ses petits-enfants? Elle se voyait passer le reste de ses jours à laver de la vaisselle en plastique rouge et bleu pour ses enfants de plus en plus vieux, de plus en plus dépendants d'elle parce que jamais au grand jamais ils n'auraient touché à l'ouvrage de la maison, et elle avait envie de tout casser. Mais la vaisselle de plastique était justement incassable ; c'était là, disait-on, l'une de ses grandes qualités.

L'eau se mit à siffler dans le canard.

Une boule lui monta à la gorge et cette sensation d'impuissance qui la secouait de plus en plus souvent s'insinua quelque part à la hauteur de son cœur. Elle porta la main à son front.

«J'aurai-tu juste vécu ça?»

Puis elle entendit les sanglots qui provenaient de la salle de bains et se rappela que quelqu'un dans cette maison, un adolescent fou, un indésiré, un condamné à la solitude, vivait un drame beaucoup plus effroyable que le sien.

Il n'avait pas le droit de sortir de la cour d'école mais la tentation était bien grande. Il était appuyé contre la clôture de bois et regardait le profil de l'église Saint-Stanislas, de l'autre côté de la rue de Lanaudière. Derrière l'église se trouvait la rue Gilford et sur la rue Gilford...

Il avait trouvé un moyen de punir Marcel. Ça prendrait à peine quelques minutes, ce serait violent donc soulageant, et, il en était convaincu, Marcel ne l'achalerait jamais plus. Mais ce serait là son premier geste de violence et il hésitait. Il avait d'abord pensé couvrir son cousin d'injures, lui faire une scène d'une implacable brutalité mais il savait Marcel imperméable quand il le voulait à tout ce qui se disait autour de lui, alors à quoi bon gaspiller sa salive, s'acharner à trouver le mot juste, l'insulte suprême, si la personne à qui ils s'adressent vous regarde avec des yeux vides et un petit sourire condescendant au coin de la bouche? Non, les paroles ne suffiraient pas, il fallait un geste, un geste définitif qui romprait une fois pour toutes les liens qui les unissaient depuis toujours, parce qu'il voulait couper tout contact avec Marcel. Il aurait voulu, s'il l'avait pu, l'effacer de sa mémoire, regarder à travers lui comme s'il n'existait pas, le contourner quand il le croiserait, être libre, enfin, de marcher dans la rue, seul, sans sentir sa maudite présence derrière lui, ce grand flanc mou insignifiant, cette queue de veau qui le suivait parce qu'elle n'avait pas d'allure ni aucune autonomie... Tout se mêlait dans sa tête, les mots qui lui venaient n'allaient pas toujours ensemble, leur somme était à la fois floue et très précise : floue parce que sa pensée avait de la difficulté à s'exprimer clairement, mais précise parce que la destruction définitive de Marcel, elle, s'imposait à lui avec une grande précision.

Il était toujours seul dans la cour de l'école. Il avait dix ou quinze minutes devant lui avant que les autres élèves commencent à sortir par grappes tumultueuses. Parce qu'eux, les autres élèves de l'école Saint-Stanislas, qui n'avaient rien d'autre à penser qu'à leur petit examen, prendraient la peine de relire leurs réponses, de corriger leurs fautes, de bien dessiner leurs lettres, alors que lui, après son échec du matin, n'avait-il pas en fin de compte répondu n'importe quoi et n'importe comment afin de sortir le plus vite possible de la classe pour... pour assouvir cette faim de vengeance qu'il ressentait pour la première fois de sa vie ? Un examen de géographie de fin d'année, ça ne s'expédie pas en dix minutes, même facile ! Et si cet examen, justement, n'avait pas été du tout facile, s'il se l'était imaginé facile pour s'en débarrasser, s'il avait encore une fois fait un fou de lui à cause de son maudit cousin ! Hein ? L'envie de courir, de traverser la rue de Lanaudière, de piquer à travers le parterre arrière de l'église en sautant par-dessus les petites rampes de métal fut si forte qu'il dut s'agripper à deux mains à la clôture. Il jeta un rapide coup d'œil sur le toit de l'école. Toujours pas de Peter Pan.

Mais pas de témoins non plus!

Le reste se fit tout seul.

Il avait vraiment l'impression que son cerveau ne l'avait pas voulu, qu'il le lui avait même défendu mais, pour la troisième fois de la journée, il *se vit* agir, en spectateur; l'asphalte qu'il sentait chaud, déjà, même si l'été venait juste de commencer, le ciment du trottoir, le gazon du parterre défilaient sous ses pieds comme dans un film lorsque la caméra est fixée au ras du sol; il se disait que s'il était un animal, un chat ou un chien, il verrait le monde de cette perspective-là. Les sons s'étaient atténués, aussi; il n'entendait que le bruit de son cœur qui battait décidément trop fort et l'air qui sortait précipitamment de ses poumons. D'habitude il avait le contrôle sur ses rêveries, il les choisissait, les empoignait, leur donnait la forme, la couleur, l'odeur qu'il voulait; il avait inventé Peter Pan, justement, après la lecture du livre de monsieur Sir James Barrie, pour donner un corps à ses fantasmes, pour les vivre à travers quelqu'un qui pouvait voler, donc tout se permettre; mais ce n'était pas Peter Pan qui courait vers la rue Gilford, Peter Pan aurait volé alors que ce nouveau corps qu'il avait investi filait, bondissait comme un petit animal, ce petit animal à rayures, mal embouché mais beau à faire damner, dont il allait à tout jamais détruire le repaire...

Il savait que la forêt enchantée était vide parce qu'il n'avait rien senti en passant devant quelques minutes plus tôt. Marcel avait terminé ses beaux rêves et avait dû retourner à la maison satisfait, le chanceux, comblé d'images dont la splendeur avait dû le nourrir pour un bon bout de temps. Tout ça, la course folle, l'envie de détruire, était-il dicté par la simple jalousie? Il mit cette idée de côté parce qu'il ne voulait pas y faire face pour le moment et s'approcha des cœurs-saignants.

Mais c'était ridicule de commencer son travail de destruction, comme ça, de l'extérieur; on pouvait le voir, la vieille femme qui habitait au 1474 pouvait sortir avec son balai et le chasser en le traitant de tous les noms, la police pouvait passer et l'arrêter, et l'enfermer... Et où mettrait-il les branches qu'il aurait arrachées? Non, ce n'était pas une explosion qu'il fallait provoquer, mais une implosion.

Il fallait que la cathédrale de Marcel s'écrase sur elle-même et qu'il la retrouve en un petit tas pitoyable, plutôt qu'éparpillée un peu partout sur le trottoir et dans la rue.

Il était redevenu lui-même, ni Peter Pan, ni chat tigré, seulement un pauvre petit garçon fou de jalousie devant son cousin différent des autres enfants et d'inquiétude devant sa première félonie. Il avait parfaitement conscience et parfaitement honte de ce qu'il allait faire mais il se sentait obligé. Pour retrouver une certaine paix, quitte à payer plus tard avec une culpabilité seulement passagère, du moins essayait-il de s'en convaincre.

Il poussa doucement la clôture dont le grincement lui parut tout à fait charmant alors que le matin même il lui avait donné des frissons. Personne sur le balcon. La vieille madame devait faire une sieste, ou tricoter devant son appareil de radio. Mais une chaise berçante avait été installée depuis le matin, preuve que la vieille madame existait vraiment et qu'elle pouvait sortir se bercer n'importe quand. Il fallait donc faire vite. Il se pencha. Personne non plus dans la forêt enchantée mais ça, il le savait d'avance. Il s'accroupit, avança à quatre pattes.

Il eut l'impression d'être une clef qui s'introduisait dans une serrure magique. Il resta immobile pendant quelques secondes puis roula sur lui-même, exactement comme une clef qui tourne dans une serrure. Mais rien ne se produisit. Ce n'était pas là le rituel qui déchaînait les beautés insoutenables qu'il avait devinées dans la tête de Marcel, dans le rêve de Marcel qui avait monté le long de son propre bras avant d'exploser dans son cerveau. Non, la pénombre demeurait. Et l'humidité.

Il se coucha sur le dos pour contempler une dernière fois les cœurs-saignants avant de les assassiner.

Il essaya d'imaginer Marcel dans la même position, attendant patiemment que l'enchantement déferle sur lui. Entendait-il les vagues venir ou le prenaient-elles par surprise au moment où il commençait à croire que rien ne se produirait ce jour-là après un long moment d'attente fébrile ? Était-ce lui qui les provoquait ou elles qui arrivaient comme des chevaux fous pour s'emparer de son âme ? Et comment en sortait-il ? Écrasé de bonheur ? Épuisé de sensations et d'odeurs ? Transportait-il avec lui un trésor enfoui dans son cerveau dans lequel il pouvait puiser tout ce qu'il voulait tant qu'il le voulait?

Le chanceux!

Et lui, lui dans tout ça? Ce parterre, s'il ne le détruisait pas, resterait-il pour lui un simple carré de terre puante salie par des générations de chats, cerclé de rouille et surmonté d'un bosquet d'humbles fleurs roses, ou n'existait-il pas un moyen de s'emparer de tout ça, de... voler tout ça, oui, oui, c'était le mot juste, il aurait voulu voler Marcel, cambrioler, dévaliser sa forêt enchantée, s'approprier ses rêves une fois pour toutes pour voir comment c'était que d'être un...

Il s'assit brusquement. Son front était dans les fleurs. Un cœur-saignant qui lui chatouillait le nez le fit loucher. Il s'en débarrassa en l'écrasant dans son poing comme une mouche.

...comment c'était que d'être un élu!

Il ramena ses genoux vers son visage. Sa bouche retrouva la gale du matin qui s'était un peu décollée et qui goûtait à nouveau le sang fraîchement séché.

Un élu! Marcel était un élu et pas lui. Sa langue quitta la petite gale, son front se posa entre ses genoux. Et il vit l'inutilité de sa quête, de son entreprise de destruction, l'insignifiance de sa prétention aussi; il ressentit plus qu'il ne le comprit l'univers qui les séparait Marcel et lui; il entrevit pour la première fois son indignité à lui qui n'avait pas été appelé et dont le destin se résumait à observer en spectateur, comme il avait déjà été spectateur de lui-même trois fois depuis le matin, à observer en spectateur le... génie de quelqu'un d'autre.

Le génie !

À quoi ça servait de détruire la forêt enchantée si la forêt enchantée se trouvait à l'intérieur de Marcel ?

Sa rage fut si grande, sa jalousie si cuisante, qu'il crut qu'il allait mourir là, sur-le-champ, qu'une telle douleur était insupportable et qu'on ne pouvait qu'en crever en levant le poing vers le ciel et en proférant des blasphèmes d'une inouïe violence. S'il avait vraiment connu des blasphèmes, de vrais blasphèmes, de ceux qui insultent les dieux et les font bondir sur leurs trônes au fin fond de leur septième ciel ou au creux de la dernière caverne de leur enfer, il se serait levé au milieu du bosquet, il aurait tendu le bras, fermé le poing et hurlé à s'en déchirer la gorge un chapelet, un rosaire, une neuvaine de ces mots libérateurs et succulents qui soulagent l'âme l'espace d'un instant en même temps qu'ils éclaboussent ceux qui ont eu le mauvais goût de nous créer.

Mais les seuls mots qui se présentaient à son esprit étaient les pitoyables borborygmes, les insignifiants sous-produits de blasphèmes, les niaiseux dérivés d'injures qu'il avait toujours entendu son père, ses oncles et, plus récemment, ses frères prononcer quand ils avaient bu ou que le vocabulaire leur manquait. Mais ces mots-là étaient nettement insuffisants à exprimer la grandeur, l'acuité de sa douleur. Il avait l'esprit complètement vide de mots et pourtant débordant d'horribles choses qui rampaient dans le noir et qui auraient voulu s'envoler pour anéantir l'univers au grand complet.

Puis une idée lui vint comme une petite lueur au fond des ténèbres, quelque chose à quoi on peut s'accrocher pour ne pas mourir. Il y avait peut-être un moyen de piller Marcel sans pour autant prendre sa place. Il lui suffisait d'écouter son cousin, de le faire parler même, de provoquer ses confidences, de tout enregistrer dans sa tête... et de s'en servir, après. Il lui suffisait de signer les rêves de quelqu'un d'autre pour qu'on croie qu'ils étaient les siens. Et même qu'il les avait inventés. Il était peut-être vraiment né, en fin de compte, pour être un spectateur. C'était un pitoyable destin, oui, mais c'était sa lueur au fond de ses ténèbres et il lui tendit les bras.

La clef se retira de la serrure magique où rien du tout de merveilleux ne s'était produit et l'enfant de la grosse femme se retrouva sans transition sur le chemin de l'école où l'attendait un autre exaspérant examen.

Elle s'était arrêtée devant la vitrine encombrée de «dry goods» jaunis par les mois passés au soleil (et peut-être même les années), avait remonté une mèche rebelle dans un geste sans coquetterie, un geste précis, sec, automatique de femme pour qui les cheveux ne doivent pas nécessairement être beaux mais *placés*. Elle s'était assurée que sa sacoche en cuir patant était bien fermée, que ses souliers luisaient, que son bord de robe était droit.

Elle devinait plus qu'elle ne voyait sa propre silhouette dans la grande vitre derrière laquelle avaient été jetés au hasard des rouleaux de tissu, des paquets de ric-rac, des douzaines de fermetures éclair attachées ensemble par de vieux élastiques éventés, des passementeries brunies par la poussière, des rubans à la couleur depuis longtemps passée.

Elle trouvait que cette vitrine faisait un peu rue Saint-Laurent et en avait fait la remarque à monsieur Schiller qui s'était contenté de sourire en lui disant avec son inimitable accent: «Moé pas intéressé de faire le window tou'es mois. Moé veux pas pardre du temps mais faire de l'argent!».

Elle avait l'impression que monsieur Schiller se barricadait derrière sa vitrine encombrée : on ne pouvait pas voir dans son magasin quand on était dans la rue et on ne savait pas le temps qu'il faisait dehors quand on se trouvait à l'intérieur. Mais, curieusement, cette impression de confinement, cette odeur de tissu jamais aéré et de poussière, la même, qui flotte depuis toujours, ne lui déplaisait pas. Chez elle, il fallait que ça sente la cire à plancher, l'huile de citron et le Spic and Span, sinon elle était convaincue de vivre dans la crasse et sombrait dans une culpabilisante dépression mais là, sous l'éclairage jaunâtre, dans cet évident laisser-aller où l'air manquait et où régnait, été comme hiver, une chaleur sèche qui vous prenait à la gorge, elle se sentait comme dans un cocon, à l'épreuve de tout, cachée du reste du monde, et pouvait passer des heures à fouiller dans de vieilles boîtes de boutons dépareillés ou de barrettes à moitié cassées. Monsieur Schiller ou son assistante, la redoutable mademoiselle Robitaille, imposant inventaire ambulant qui arborait un début de moustache la faisant ressembler à un phoque, la trouvaient parfois à quatre pattes, le nez plongé dans un carton de vieux patrons des années trente et quarante, soi-disant à la recherche d'un modèle, mais de toute évidence en pleine crise d'amnésie volontaire. Le magasin de monsieur Schiller était moins cher que le cinéma et tout aussi efficace.

Évidemment, il y avait une autre raison aux fréquentes visites d'Albertine aux dry goods de monsieur Schiller, une raison beaucoup plus profonde et, surtout, infiniment moins avouable : monsieur Schiller lui-même.

185

On n'aurait pas pu dire qu'il lui plaisait, Albertine était depuis longtemps au-delà de ces considérations, mais sa courtoisie, même teintée d'un évident intérêt pour la vente la plus insignifiante, la troublait et la ravissait. Personne n'avait été courtois avec elle depuis si longtemps qu'elle se laissait volontiers couler dans les compliments de monsieur Schiller; sa méfiance pour tous les êtres humains, acquise à force de souffrances brutes, sans nuances, s'effilochait devant lui et elle se retrouvait sans défense. De plus, ce n'était pas un Canadien français mal embouché qui ne sait pas s'exprimer ni un maudit Français au langage trop fleuri; elle aimait son accent rocailleux, chantant, l'emploi qu'il faisait de son français à elle mais nuancé, charpenté autrement : ses compliments n'étaient ni sucrés ni enrubannés, ils étaient brusques et leur brusquerie même qui, en fin de compte, lui ressemblait à elle, lui plaisait.

Elle venait chercher à la boutique de monsieur Schiller le peu de chaleur humaine qu'elle refusait depuis longtemps de tout le monde, même et surtout de ses propres enfants.

Elle allait pousser la porte lorsqu'un tableau dont elle ne comprit pas d'abord la signification la figea dans son geste. C'était un tableau dont les trois sujets étaient de profil : madame Jodoin achetait des boutons ou quelque chose de très petit qu'elle cherchait dans une boîte posée sur le comptoir, monsieur Schiller la servait avec son sourire habituel et mademoiselle Robitaille les regardait. Albertine colla son nez à la porte en posant sa main en visière pour mieux voir. Quelque chose la mettait profondément mal à l'aise dans ce tableau mais elle n'arrivait pas à trouver ce que c'était. Elle pencha un peu la tête sur son épaule droite. Une espèce de fausse innocence émanait des trois personnages... c'était ça... quelque chose se voulait innocent et ne l'était pas. Mademoiselle Robitaille n'était pas aussi décontractée qu'elle voulait bien le laisser voir, madame Jodoin était préoccupée par autre chose que la recherche de ses boutons et monsieur Schiller... était courtois avec elle!

Albertine se redressa. Elle venait de se voir dans la même position que Gabrielle Jodoin, *faisant semblant* de chercher quelque chose pendant que monsieur Schiller, avec son accent si charmeur, lui faisait un compliment à peine déguisé. Monsieur Schiller servait à sa voisine et probablement à toutes ses clientes le même traitement qu'à elle-même! Il usait de sa courtoisie non pas pour être gentil mais pour vendre des boutons de culotte. Elle ne ressentit aucune jalousie envers Gabrielle Jodoin mais un vieux sentiment de fatalisme, «je le savais, ça pouvait pas durer, y fallait que ça cache quequ'chose», remonta d'un seul coup à la surface de sa conscience. Elle se trouva ridicule, naïve, elle eut honte en se revoyant à quatre pattes comme une niaiseuse sur des lattes de bois sales, elle comprit d'un seul coup les sourires confits de mademoiselle Robitaille, elle se vit, avec toutes les idiotes du Plateau Mont-Royal, faire la queue devant le magasin de dry goods dans l'espoir de cueillir un pauvre petit compliment qui lui donnerait le courage de continuer encore un peu son... son calvaire, oui, son calvaire, la vie était un calvaire! Elle l'avait oublié pendant quelques minutes mais la vie était un calvaire! La rage était si forte, si cuisante qu'elle dut s'appuyer contre la porte qui s'ouvrit un peu, déclenchant la sonnette électrique qui la faisait toujours sursauter quand elle se trouvait au fond du magasin. Le tableau se défit; les trois sujets se tournèrent vers elle. Madame Jodoin se redressa, un petit carton blanc à la main. «Y'ont reçu des assez beaux pans d'oreilles, v'nez voir ça!»

La réponse sortit malgré elle, expulsant une partie de sa rage comme un jet de vomissure.

«Qu'y se les fourre donc dans le cul, ses maudits pans d'oreilles!»

Après avoir tant bien que mal nettoyé les genoux de ses pantalons, il se lavait énergiquement les mains. L'eau boueuse coulait dans le fond de l'évier, tournait quelques secondes autour du renvoi puis disparaissait dans un désagréable bruit de succion. Toutes les trente secondes on entendait partir les chasses d'eau des urinoirs alignés le long du mur. Ça sentait très fort la boule à mites.

Jay Pee Jodoin, qui l'avait suivi, était appuyé contre un des gros éviers de porcelaine, les mains nouées derrière la tête, les jambes croisées.

«J'sais pas pourquoi, mais y voulait absolument te trouver... Aïe, y'est venu me questionner moé, pis chus même pas dans ta classe... Claude m'a conté que t'es disparu vite après l'examen...

— Tu y'as rien dit, toujours, au frère...

— J'pouvais rien y dire, j'savais pas oùsque t'étais! J'savais même pas que t'avais disparu! Oùsque t'étais, donc?

— Laisse faire... Moins t'en sauras, mieux ça sera...»

Jay Pee, piqué, se redressa et vint se poster à côté de son ami.

«Ça veut dire quoi, ça? Que j'peux pas garder un secret? Hein? Tu penses que j'vas aller toute bavasser au frère? J'te rends service en te disant qu'y te cherchait pour que tu te trouves une excuse avant qu'y te mette le grappin dessus, pis c'est comme ça que tu me remercies?»

L'enfant de la grosse femme secoua ses mains au-dessus de l'évier, prit un papier brun dans le distributeur, s'essuya minutieusement.

«Arrête de te plaindre de même, tu commences à me faire penser à Claude! Oùsqu'y'est, lui, au fait? Y braille-tu dans quequ'coin, là, pour faire pitié? Y'a raté son examen pis c'est la faute de tout le monde sauf la sienne, j'suppose!»

Quelque chose avait changé en lui mais Jay Pee n'arrivait pas à saisir ce que c'était. Peut-être sa façon de lui parler, une amorce de mépris, toute nouvelle et déplaisante, qu'il devinait sous les paroles moqueuses, comme l'irritation que ressent un supérieur pour son subalterne fautif. L'enfant de la grosse femme était devenu condescendant d'un seul coup et Jay Pee en était profondément choqué.

L'autre visa le panier, le rata. Son papier froissé roula jusque dans le coin de la pièce.

Dans une pitoyable tentative d'être condescendant à son tour, Jay Pee haussa les épaules.

«Tu peux ben pas être bon dans les sports, tu sais même pas viser!

— Toi non plus, tu sais pas viser… mais pas avec le papier, avec les mots!»

Encore! Jay Pee, honteux et ne trouvant effectivement rien à répondre, mit ses mains dans ses poches et regarda le bout de ses souliers.

L'enfant de la grosse femme s'étira sur le bout des pieds, s'examina au grand complet dans le miroir en long qui courait au-dessus des lavabos, pour s'assurer qu'il était bien propre, qu'il ne restait sur lui aucune trace de sa visite dans la forêt enchantée.

Jay Pee en profita pour réagir et lui donna une légère claque derrière la tête.

«Ben oui, ben oui, t'es beau, t'es beau…»

Il avait envie de le brasser, un peu, de lui dire des bêtises genre que c'est qui te prend tout d'un coup d'être frais chié de même, tu m'as jamais parlé sur ce ton-là, tu commenceras pas après-midi certain, mais sa curiosité l'emportait. Même si le ton qu'employait l'enfant de la grosse femme lui déplaisait, il voulait savoir où il était allé.

«Pis, toujours, où c'est que t'es t'allé? On t'a cherché partout! T'étais pas dans la cour d'école, t'étais pas dans les bécosses non plus… J'ai même été voir au troisième si tu jouais pas à «Corridor sans issue», mais toutes les classes étaient vides… T'es quand même pas sorti de la cour d'école! T'sais que tu pourrais te retrouver dans le bureau de Bouddha-pas-de-pouce à te faire torturer pendant tout le reste de l'après-midi!»

En se tournant brusquement vers Jay Pee pour l'apostropher encore une fois, l'enfant de la grosse femme aperçut la silhouette du frère sous-directeur qui venait justement dans leur direction. Il allait déboucher dans les toilettes d'une seconde à l'autre. Pour les sauver d'un mauvais pas qui aurait pu leur coûter cher parce que les élèves de l'école Saint-Stanislas n'avaient pas le droit de fréquenter les toilettes pendant les récréations, le garçon prit le parti d'exagérer son exaspération envers son ami et poussa violemment Jay Pee du coude.

«Mêle-toi donc de tes affaires, pis arrête donc de me suivre, maudite mouche à marde! J'ai pas le droit d'être constipé?»

Il fit comme s'il n'avait pas vu le religieux et fonça dedans, rebondissant presque sur la généreuse bedaine du frère sous-directeur. Il ne lui donna pas non plus la chance de parler.

«Aïe, frère, dites-y donc qu'y me laisse tranquille, lui! J'étais en train de... en tout cas, j'étais dans la cabine pis j'forçais comme un bon pis y s'est mis à me dire que tout le monde me cherchait! Y'arrêtait pas de me dire qu'y fallait que je sorte de d'là pis j'ai pas pu faire c'que j'voulais faire! C'est-tu vrai que tout le monde me cherche?»

Jay Pee avait blêmi d'un seul coup, figé sur place, et s'était appuyé contre le grand évier. Personne n'avait jamais osé parler sur ce ton à Bouddha-pas-de-pouce, la terreur de l'école Saint-Stanislas, le maniaque à la strappe, le spécialiste des coups de règle triangulaire sur les jointures, celui que les lecteurs des œuvres du capitaine Johns appelaient «le nazi échappé d'Allemagne». En s'entendant parler, l'enfant de la grosse femme se disait ça y est, j'ai été trop loin, y va lever sa grosse maudite main

192

pas de pouce, y va m'étamper une claque su'a yeule pis j'vas être enflé jusqu'à la Saint-Jean-Baptiste... Il commençait déjà à cligner des yeux comme quelqu'un qui s'attend à être frappé d'une seconde à l'autre mais n'osait quand même pas se cacher derrière son bras replié, un geste que Bouddha-pas-de-pouce méprisait particulièrement et punissait toujours avec délices.

Mais rien ne vint, ni claque ni menaces. Ils restèrent silencieux quelques secondes. Les chasses d'eau partirent toutes en même temps. Le frère sous-directeur leva très lentement la main (celle où manquait le pouce, effectivement, perdu, disaient les méchantes langues, dans le cul d'un grand de neuvième particulièrement obligeant, mais on n'était pas obligé de les croire) en l'arrêtant, cependant, à la hauteur de la taille, là où il avait l'habitude de cacher son absence de pouce dans la rangée de boutons de sa soutane. Son ton était si calme que l'enfant de la grosse femme se sentit perdu : les colères du frère sous-directeur étaient préférables à son faux calme.

«Vous savez très bien que vous avez pas le droit de venir ici pendant les récréations. C'est *absolument* défendu!»

Le frère sous-directeur allait donc user de la discussion plutôt que de la violence, ce qui était très rare et très inquiétant : ils pourraient en avoir pour des heures et des heures à répéter à l'infini les mêmes questions et les mêmes réponses, en fait jusqu'à ce que le garçon craque et avoue tout. N'importe quoi, mais tout. S'il n'agissait pas rapidement, s'il ne provoquait pas la colère de Bouddha-pas-de-pouce dans les secondes qui suivaient, celui-ci entamerait une de ces fameuses quoique exceptionnelles séances inquisitoires et finirait sûrement par l'avoir à l'usure.

Il décida donc de jouer le tout pour le tout et sauta dans le trouble à pieds joints.

«J'ai pas de contrôle sur mes envies, c'est toute! J'pensais que ça y était, que c'était pressé, pis ça y était pas, ça fait que j'ai forcé pour rien! Mais c'est pas mal sûr que si vous me frappez, ça va tout débloquer, par exemple! Pis j'vous avertis que ça s'ra pas de ma faute si vous vous retrouvez plein de marde!»

Il entendit, il entendit *vraiment* Peter Pan rire dans une des cabines. Un beau rire gras d'adolescent qui vient d'écouter ou de raconter une bonne grosse farce cochonne. Il réprima le sourire qu'il sentait lui monter aux lèvres. Quoi qu'il arrive, les punitions, les coups, les bêtises ou les menaces d'expulsion, il savait qu'il avait fait la bonne chose parce que Peter Pan riait. Il leva les yeux vers le visage du frère sous-directeur. Il allait soutenir son regard (autre règle absolue à l'école Saint-Stanislas: toujours garder les yeux baissés quand un religieux vous engueulait), oui, il allait soutenir son regard pour lui montrer qu'il n'avait vraiment pas peur de lui. Allez-y, fessez, j'ai pas peur, j'ai pus peur, j'ai mon autre moi-même qui a du fun, pis mon autre moi-même va continuer à avoir du fun même si vous me faites saigner, même si vous me faites perdre connaissance comme Jacques Bolduc, l'année passée! Mais son cœur se crispa dans sa poitrine, il sentit ses jambes faiblir sous lui et dut s'appuyer au chambranle de la porte.

Ce n'était pas Peter Pan qui riait.

Le rire du frère sous-directeur couvrait les chasses d'eau, emplissait les toilettes de l'école Saint-Stanislas, se répercutait en une sorte d'écho presque instantané qui décuplait sa force ; il allait sûrement faire péter les murs de la pièce, se répandre dans la cour d'école, sur le quartier au complet ; Montréal entendrait ce rire sorti de la mauvaise bouche et saurait qu'un pauvre enfant du Plateau Mont-Royal l'avait pris pour celui de son idole, de son refuge, de son alter ego. La méprise était si ridicule, si pitoyable, qu'une grande fatigue le prit quelque part dans la région de la poitrine. Ce n'était pas une fatigue physique, c'était plutôt comme si ses émotions se mettaient au neutre et qu'une sorte de fatalisme l'envahissait. Il eut l'impression que tout en lui abdiquait et voulut pleurer, peut-être pour faire un pendant tragique au rire grotesque de Bouddha-pas-de-pouce. Il vit du coin de l'œil Peter Pan quitter les toilettes en faisant la grimace.

Le frère sous-directeur était presque plié en deux. Il se tenait la bedaine à deux mains, puis essuyait les larmes qui lui coulaient sur la joue. On avait l'impression qu'il serait encore là dans deux heures, demain, l'année prochaine, indéfiniment, comme la grosse bonne femme du parc Belmont qui terrorisait tous les enfants.

Le garçon le repoussa doucement pour pouvoir sortir de la pièce.

Jay Pee, plus blême que jamais, le suivit. Le soleil d'après-midi les frappa en plein front. Déjà, le frère Robert faisait signe à l'enfant de la grosse femme qu'il voulait lui parler. Ils firent comme s'ils ne le voyaient pas et s'installèrent sur la rambarde de ciment de l'escalier qui menait à la cour d'école. Jay Pee fit un geste dans la direction de Bouddha-pas-de-pouce.

«Y'en a qui descendent du singe plus que d'autres, hein?»

Marcel était couché sur le dos. Sa tante lui avait donné la permission de s'étendre dans le lit de sa mère, comme après une crise, comme si elle avait su qu'il avait eu une crise. Elle ne lui avait posé aucune question quand il était ressorti de la salle de bains au bout d'une demi-heure, mort d'ennui, la forme du siège étampée sur les fesses; elle s'était contentée de lui dire doucement qu'il pouvait aller s'étendre dans la chambre de sa mère. C'était une récompense et ça l'avait choqué. Elle défroissait des serviettes qu'elle était allée cueillir sur la corde à linge et qu'Albertine repasserait un peu plus tard. Il aurait voulu refuser le cadeau avec une formule lapidaire, renverser la pile de serviettes, claquer la porte en criant qu'il ne reviendrait jamais, faire une colère inutile et soulageante, mais comment résister au lit d'Albertine?

Il regardait le plafond. Les moulures de plâtre autour du plafonnier de verre dépoli, les boiseries peintes en vert bouteille parce que son oncle Gabriel était revenu un jour de son travail avec un reste de peinture verte dont personne ne voulait; les fissures, de plus en plus importantes, de plus en plus inquiétantes, qui couraient dans tous les sens

197

et faisaient dire à sa mère qu'elle se réveillerait un bon matin assassinée par une couche de plâtre. Ça sentait bon. Ça sentait elle. Elle au repos, quand les vicissitudes de la journée étaient terminées ou qu'elles n'avaient pas encore commencé. Au contraire de l'enfant de la grosse femme, Marcel ne sentait pas du tout la présence de l'homme dans le lit de sa mère ; son père était parti pour la guerre alors qu'il était tout petit et il ne l'avait pratiquement pas connu ; non, ça sentait juste elle dans la seule position où elle ne l'engueulait pas : couchée.

Il ferma les yeux. Pas pour s'endormir, il avait assez dormi pour aujourd'hui, mais pour bien s'imprégner, par le plus grand nombre de sens possible, de tout ce qui concernait Albertine couchée ici, ronflant ou respirant paisiblement, agitée ou calme, une jambe sortant des couvertures, le bras replié sur son front si la lumière parvenait jusqu'à elle. L'odorat, c'était facile, ça venait tout seul, il n'avait qu'à respirer un bon coup et elle était tout de suite là. Le toucher n'était pas très difficile non plus : il suffisait de passer les mains sur le couvre-pieds de chenille et la fraîcheur de l'oreiller. Pour l'ouïe, déjà, il fallait user de son imagination : c'était tard dans la nuit, il revenait de faire un pipi, il n'était pas totalement réveillé ; un bruit assez comique lui parvenait de la chambre de sa mère ; il passait la tête dans l'entrebâillement de la porte... voilà, l'ouïe et la vue en même temps ! C'était une de ces nuits où, parce qu'elle avait mangé trop de cretons ou qu'elle s'était fait un sandwich au concombre avant de se coucher, on pouvait l'entendre de partout dans la maison. Le lendemain, Gabriel ou la grosse femme parleraient sur un ton complice du concert nocturne qui avait tenu tout le monde réveillé mais Albertine ferait celle qui ne comprend pas. Le goût, c'était le plus difficile. Goûte-t-on à sa mère? Il avait essayé, une fois. Une nuit, bien sûr. Alors qu'elle ronflait. Il s'était approché doucement, s'était penché sur son pied qui dépassait du lit, avait posé ses lèvres sur la peau, sorti la langue. Ça goûtait le savon. La même chose que lorsqu'il se faisait des bleus sur les bras à force de serrer les lèvres et de sucer. Il savait donc tout de sa mère couchée dans son lit, sauf ce qu'elle goûtait. Peut-être qu'au creux des genoux, ou sous les bras... ailleurs, aussi, dans ces régions défendues auxquelles il ne fallait même pas penser même si c'était de plus en plus difficile, elle goûtait quelque chose qui lui était particulier. Elle-même. Il leva lentement le bras, pencha la tête, sentit. Sa chemise de coton sentait la sueur. Il sentait toujours la sueur, tout le monde le lui disait. La sueur et le petit garçon mal lavé. Elle se lavait trop à son goût à lui et lui pas assez à son goût à elle.

Un trouble le prit alors qu'il ramenait son regard vers le plafond. Un trouble qu'il commençait à bien connaître mais qu'il essayait d'ignorer parce qu'il ne le comprenait pas. Son pénis s'était raidi pendant qu'il sentait son aisselle. Il se leva sur un coude. Ça faisait une bosse dans son pantalon. Ça le prenait de plus en plus souvent et dans des endroits de plus en plus gênants. À l'école, tous les garçons à qui ça arrivait s'en amusaient. Quelques-uns faisaient même déjà l'éloge de la masturbation, yeux cernés à l'appui. Et c'était un sujet de conversation d'autant plus agréable qu'il faisait rougir les filles. Mais Marcel, jusque-là, n'avait jamais osé toucher son pénis raidi. Il subissait le trouble que ça déclenchait en lui et attendait que ça se passe. Mais cette fois, il avait envie que quelque chose d'autre se produise, il voulait connaître la violence puis le soulagement et même la déprimante culpabilité qui déferlait sur vous quand c'était fini et dont parlaient tant ses camarades de classe (parce que tout ça, il ne fallait quand même pas se le cacher, était d'une grande laideur malgré le plaisir procuré, et un péché très grave).

Mais sa tante n'allait-elle pas surgir tout à coup, sa mère n'allait-elle pas revenir de chez Schiller's pour le trouver en pleine action honteuse? Pourquoi faire ça ici, dans son lit à elle; pourquoi ne pas retourner aux toilettes? Après tout, ça faisait partie des choses qui se passent dans ce bout-là de son corps et qu'on accomplit dans cette pièce retirée où personne d'autre que soi-même n'a le droit d'entrer quand on y est...

Mais l'envie, le *désir*, oui, c'était un désir presque insupportable, était trop grand. Il n'y avait plus de place pour la rationalisation: sa tante et sa mère ne le surprendraient pas, ne pouvaient pas le surprendre! Il défit les boutons de sa braguette, puis celui qui retenait son pantalon autour de sa taille. Il sépara les pans de sa chemise, descendit son pantalon, son caleçon. Son pénis vibrait un peu, comme si quelque chose de vivant le secouait. Il le regarda pendant un long moment, comme si c'était une chose qui ne le concernait pas, qui ne lui appartenait pas. Mais ça lui appartenait parce que le désir continuait à monter. Il voulut prendre son pénis dans sa main et l'agiter de haut en bas (c'est ce qu'on lui avait dit de faire) mais quelque chose,

200

probablement un fil noir qui s'était détaché de son pantalon, attira son attention sur son pubis. Il tira sur le fil pour s'en débarrasser, mais le fil résista et il sentit un petit pincement. Un grand poil noir presque frisé avait poussé à côté de son pénis, quelque chose de tellement indécent, de tellement *plus indécent* que son érection elle-même, qu'il en resta sidéré. Il se pencha un peu plus. Des bouts de poils, des racines noires comme celles qu'il devinait chez ses cousins et son oncle Gabriel, le matin, avaient envahi toute la région autour de son sexe. Il avait de la barbe en bas!

Il sortit du lit de sa mère en hurlant et se mit à sauter dans la chambre comme quelqu'un qui vient d'apercevoir une abomination sortie de l'enfer.

«J'en veux pas! J'en veux pas de t'ça! J'en veux pas! J'en veux pas!»

Le restaurant Beau Coq Bar-B-Q, sur la rue Mont-Royal, avait depuis peu remplacé une vieille boucherie où, pendant des années, on avait vendu sous le comptoir des denrées périmées (viande noircie, légumes mous et brunâtres, lait caillé) et des produits défendus par la loi (surtout le cheval qu'on venait acheter d'aussi loin qu'Outremont et Westmount). Le lundi matin, surtout, quand les limousines faisaient la queue devant le dispendieux et exclusif couvent Mont-Royal, juste en face, on voyait des dames chapeautés ou des chauffeurs en livrée ressortir de la boucherie en serrant contre eux de petits paquets enveloppés de papier brun et qui contenaient la viande interdite. La ville avait fini par faire fermer la boucherie et personne à part les petites pensionnaires ne sortait plus des limousines, le lundi matin.

Le Beau Coq Bar-B-Q était un établissement qui se voulait chic et de bon goût : l'éclairage y était tamisé, discret, les décorations peu nombreuses, le plafond en pente pour faire moderne, les murs foncés pour faire riche, la musique presque inaudible. Mais cette volonté de faire distingué dans une rue où régnaient depuis toujours la patate frite grasse et l'omniprésent hot-dog était démentie par la présence, à l'entrée, d'un énorme coq en plâtre, ergots sortis et cou tendu dans un muet cocorico, surmonté d'un gigantesque abat-jour imitation paille, monstrueuse lampe aux couleurs agressives qui faisait peur aux enfants et que n'aurait pas désavouée le plus cheap des 5/10/15. En plus, on avait jouqué ce chef-d'œuvre de mauvais goût sur une colonne de fer forgé enrubannée de vignes grimpantes, d'abeilles affairées et de classiques feuilles d'acanthe. C'était donc une colonne corinthienne couronnée d'un coq gaulois qui accueillait les clients du Plateau Mont-Royal quand leur prenait la fantaisie de manger du poulet rôti. Ça prenait beaucoup de place et ça faisait beaucoup d'effet. Monsieur Dubé, le gérant de jour, trouvait surtout que ça faisait sérieux.

En entrant dans le restaurant, et après avoir un peu sursauté devant le coq en plâtre, Albertine avait demandé au monsieur grassouillet, ledit monsieur Dubé, qui venait vers elle : « C'tu farmé, coudonc ? On voit rien ! »

Avec un petit sourire figé et méprisant, il l'avait guidée vers une table du fond, là où il faisait le plus noir et où on plaçait les indésirables. Elle avait un peu exagéré son hésitation à se faufiler sur la banquette pour bien lui faire sentir qu'on ne voyait vraiment rien dans son maudit restaurant.

« Une chance que vous êtes venu me reconduire, j'aurais pu me perdre à tout jamais ! »

Il lui avait tendu un menu qu'elle aurait été incapable de lire si elle en avait eu l'intention.

« Thérèse est-tu là ? Chus sa mère. »

Il lui avait retiré le menu des mains avec un soupir d'exaspération et avait disparu vers la cuisine en maugréant contre les visites personnelles des employés.

Albertine avait regardé autour d'elle en plissant les yeux, s'était rendu compte qu'elle était la seule cliente de ce restaurant trop cher pour elle, et avait décidé de ne jamais y remettre les pieds, même si sa fille y travaillait pendant des années. « La moindre cuisse doit coûter les yeux de la tête ! »

Elle était venue se consoler de l'éparpillement de monsieur Schiller et déjà elle sentait qu'elle avait fait un mauvais choix. Encore une fois. Elle aurait mieux fait d'aller manger un bon smoked meat au Three Minute Lunch ou un chicken fried rice au Café Asia, c'était plus à sa portée et elle y était habituée. Elle saurait quelle contenance prendre, quoi commander, comment manger, alors qu'ici... Elle déposa sa sacoche sur la table, la trouva trop grosse, la remit à côté d'elle sur la banquette, l'ouvrit, sortit un mouchoir, s'essuya les lèvres : « J'ai pas envie que toute goûte le rouge à lèvres... », se tourna en entendant sa fille sortir de la cuisine.

Thérèse travaillait ici depuis quelques mois et lui avait vanté la nourriture : « Tu vas voir, le poulet est quasiment meilleur que celui que tu fais ! » (insulte suprême) et la clientèle : « Pas de petits vendeurs de chaussures qui ont pas une cenne, là ; non, juste des gérants de magasins pis des gérants de banque ! Aïe, même monsieur Allard qui parle pas à parsonne su'a rue Fabre même si c'est un de nos voisins, mange là le midi avec ses confrères de la banque!» Albertine se disait que les gérants de banque n'aimaient peut-être pas voir ce qu'ils avaient dans leur assiette... Sa fille lui avait aussi parlé de la gentillesse du patron de jour, le fameux monsieur Dubé, et des autres serveuses (Thérèse qui parlait en bien des gens avec qui elle travaillait, c'était déjà tout un événement) et l'avait invitée quand elle le voulait à manger une belle cuisse bien rôtie avec des belles patates frites pis d'la belle sauce Bar-B-Q.

Voilà, ça y était. Et elle aurait voulu se retrouver ailleurs.

Le mensonge fut facile à trouver, agréable à développer et succulent à raconter.

Le frère Robert avait commencé par remonter les rangs de la quatrième année C pour venir lui dire qu'il voulait lui parler. L'enfant de la grosse femme, cette fois, avait baissé les yeux. Il ne voulait surtout pas montrer à son professeur qu'il n'avait pas peur de lui. Qu'il n'avait plus peur de lui. Ni de rien. Il voulait faire l'agneau avec l'agneau, après avoir fait le lion avec le lion. Il s'essaya même à rougir mais n'y parvint pas. Cette assurance, cette arrogance, même, qu'il ne se connaissait pas et qu'il venait de découvrir avec grand plaisir dans les toilettes de l'école, lui laissait entrevoir des perspectives insoupçonnées. La victoire plutôt facile qu'il venait de remporter sur la grande terreur de l'école Saint-Stanislas avait temporairement effacé de sa mémoire son échec dans la forêt enchantée ; l'exaltation avait remplacé la dépression ; il se trouvait tout à coup plus intelligent, plus malin, plus fort, oubliant volontairement qu'il avait agi sous l'impulsion du moment, sans préparer son coup, et pensant naïvement que s'il avait réussi à faire rire Bouddha-pas-de-pouce dont on n'avait même jamais pu soupçonner qu'il pouvait rire, tout lui était désormais permis.

Il avait donc deux minutes, le temps de monter en classe, pour trouver une explication à sa disparition après l'examen de géographie. Une bonne explication, une raison solide qui tiendrait le coup même si elle aboutissait au bureau du directeur de l'école. Mais il n'était pas inquiet. Il trouverait, comme tout à l'heure ; il improviserait, et tout se passerait bien. Il était désormais invincible.

Claude Lemieux se pencha vers lui en se tordant la bouche pour lui parler.

«J'te dis que tu vas d'y goûter, mon p'tit gars!»

L'enfant de la grosse femme le regarda droit dans les yeux.

«Mon Dieu! On dirait que t'es content!»

C'est alors qu'il aperçut, derrière la tête de son ami, la silhouette grise de l'église Saint-Stanislas, de l'autre côté de la rue de Lanaudière. Et avant même que s'ébranlent les rangs de la quatrième année C, il avait trouvé son mensonge. Il entra à l'école en triomphateur, souriant de toutes ses dents en retraversant les toilettes où rebondissait encore le rire du frère sous-directeur, grimpant les escaliers de marbre d'un pas léger : il n'allait pas à l'échafaud, comme semblait l'espérer Claude Lemieux, il se dirigeait vers une autre victoire.

Le frère Robert le garda dans le corridor pendant que les autres élèves se préparaient au dernier examen de la journée. Et l'enfant de la grosse femme, avec une facilité déconcertante et un violent plaisir, avoua sa «faute». Il s'était appuyé contre le mur du corridor et racontait son histoire avec une voix faussement émue, faussement excitée. Perturbé par l'idée d'avoir raté son examen du matin, il s'était rapidement débarrassé de celui de géographie, vraiment facile et si peu conséquent, pour se préparer à celui de mathématiques qui lui faisait un peu peur. Et pour bien se préparer, oui, il l'avouait, il avait franchi les limites de l'école. Mais c'était pour se réfugier à l'église! Il avait traversé la rue en courant, il était entré dans l'odeur de l'encens refroidi en tremblant, il s'était jeté à genoux à la table de communion et il avait offert sa vie, son âme, à Dieu. Il avait passé là une heure merveilleuse et Dieu, oui il l'avait senti comme s'il avait entendu Sa voix, Dieu l'avait rassuré: il était un bon garçon, il avait bien fait de quitter les limites de l'école pour venir se confier à lui, il réussirait probablement ses examens s'il continuait à bien se concentrer.

C'était gros comme une montagne et invraisemblable au point d'en friser le ridicule mais il était convaincu que ça passerait parce que pendant qu'il le racontait *il était lui-même convaincu*. Il croyait tout ce qu'il disait: il se voyait agir comme cela lui était déjà arrivé trois fois dans la journée mais cette fois il avait le contrôle sur ses agissements, sur ses pensées, parce qu'il les inventait; il créait de toute pièce une vérité invraisemblable mais à laquelle il arrivait à donner un parfum de vraisemblance parce qu'il y croyait. Il était parfaitement sincère dans son mensonge, il apprenait le mensonge bien tourné, agrémenté de mille détails, joué avec juste assez d'émotion, retenu quand il fallait faire croire à une confidence et péremptoire quand il fallait convaincre du bien-fondé du geste posé; il «actait» pour la première fois de sa vie et en ressentait une jubilation qu'il avait peine à contenir. Le frère Robert ne pouvait pas résister à tant de «sincérité». Et il n'y résista pas.

L'enfant de la grosse femme vit le visage de son professeur se transformer au fur et à mesure qu'il développait son récit, qu'il peaufinait les détails: l'odeur de l'église, le bruit ambiant, la lumière des vitraux sur les murs, son âme qui s'ouvrait, la joie de se rendre compte qu'il était entendu, écouté... Le visage du frère Robert passa donc en quelques minutes de la colère au doute, du doute à l'étonnement, de l'étonnement à la compréhension et de la compréhension à une espèce d'admiration benoîte que son élève trouva jouissant de faire naître à force de mines réussies et de paroles convaincantes.

Pendant quelques instants, cependant, il se crut perdu: il en avait trop mis, ou il avait mal tourné une phrase, toujours est-il qu'un froncement de sourcils du frère Robert lui fit presque perdre pied. Il avait commencé à raconter qu'il avait aperçu une ombre près du maître-autel, une forme éthérée qui avait disparu aussitôt qu'il l'avait regardée, puis, au visage que faisait son professeur, il avait compris qu'il ne fallait tout de même pas trop charrier, qu'il *ne fallait pas* s'aventurer sur le terrain glissant de l'apparition, qu'il risquait de tout perdre s'il allait trop loin. Il retomba rapidement sur ses pattes, fit tousser l'ombre mystérieuse qui devint ainsi le bedeau qui s'affairait dans l'église et le tour fut joué: il avait «rêvé» une apparition parce qu'il était dans l'église en train de prier, c'était ridicule, mais un peu normal. Le frère Robert sourit à cette compréhensible faiblesse et l'enfant de la grosse femme en fut grandement soulagé.

Jusque-là, il avait toujours fantasmé en s'insinuant dans le personnage de Peter Pan ; il s'était raconté des histoires à lui-même quand il en avait eu besoin pour oublier ses problèmes, passer à travers des moments difficiles ou tout simplement parce qu'il adorait rêvasser, mais jamais il ne les avait «essayées» sur les autres. Il avait bien inventé une histoire sans fin pour ses amis, l'été précédent, et il s'apprêtait à le faire encore cette année mais ses amis savaient que c'étaient des blagues pour leur faire traverser les après-midi pluvieux, que rien de tout ça n'était vrai, que c'était né de son talent naturel de conteur qu'il tenait de son grand-oncle Josaphat-le-violon, que ça ne portait pas à conséquence, alors que là, pour couvrir une fugue, pour sauver sa peau, il risquait le premier gros mensonge de sa vie, trouvait jouissant de le voir réussir et se disait que ce serait désormais là son unique système de défense. Contre tout. Contre tous. Si Marcel, de son côté, vivait vraiment des choses merveilleuses auxquelles personne ne croyait, lui-même en inventerait de moins folles mais de plus pernicieuses qui tromperaient tout le monde. Il deviendrait, il devenait déjà un tricheur.

Le frère Robert, plus ému qu'il n'aurait voulu le montrer, le fit entrer dans la classe où les autres élèves attendaient dans un silence relatif.

"Ça goûte ben que trop fort, c'te sauce-là! J'ai déjà la langue toute brûlée!»

Thérèse leva les yeux de la pile de serviettes de papier qu'elle était en train de plier.

«T'es pas obligée d'la manger, moman! J'voulais juste que tu goûtes! C'est nouveau! Laisse-moé te payer la traite sans te plaindre, franchement!»

Après avoir bu la moitié de son coke en exagérant un peu le besoin de le faire, Albertine repoussa le bol de sauce vers la salière et la poivrière, au bout de la table.

«Le monde doivent pus être capable de parler certain, quand y sortent d'icitte! J'ai la bouche en feu!

— Tu l'as déjà dit...

— Pis les yeux pleins d'eau! Je l'avais pas dit pour les yeux...»

Elle enfourna quelques frites qu'elle trouva délicieuses, cassantes comme elle les aimait, surtout les noires, les brûlées, mastiqua longtemps en observant le spectacle étonnant qu'offrait actuellement sa fille : Thérèse pliant placidement des serviettes de papier au beau milieu de l'après-midi dans un restaurant du Plateau Mont-Royal, était une chose presque inconcevable, un mystère des plus étonnants. Thérèse était une tête forte, une fille d'action, une mal embouchée, une viveuse, une waitress de club qui pouvait transporter une douzaine de bières glacées sans en échapper une seule, même si on essayait de lui prendre les cuisses en passant, pas une serveuse de Bar-B-Q qui plie des napkins en attendant le petit rush du soir !

Qu'est-ce qui avait bien pu la changer comme ça ? Albertine voulait bien se réjouir de voir sa fille se ranger mais un doute qui l'avait prise dernièrement lui suggérait de ne pas s'exciter trop vite, de ne pas la figer là à tout jamais dans ce geste répétitif qui lui ressemblait si peu. À moins, effectivement, que la raison en soit une bonne. Mais quelle raison majeure avait bien pu convaincre Thérèse de quitter la vie nocturne de la Main pour venir s'enfermer ici en plein cœur d'après-midi, à l'heure où d'habitude elle cuvait encore ses excès de la nuit précédente ?

Albertine arrêta de mâcher un délicieux et croquant morceau de peau. En fait, il n'y avait qu'une seule et unique raison pour qu'une waitress de club se range. Au bout d'un court moment de pur éblouissement, elle refréna l'envie subite qui la prenait de se pencher par-dessus la table, de tendre les bras vers sa fille, d'exiger un beau gros bec mouillé...

Un bébé ! Thérèse attendait un bébé, elle en était persuadée ! Seule l'annonce de la venue d'un

212

bébé pouvait être la cause d'un tel changement. Elle allait être grand-mère! Le mari de Thérèse, l'insignifiant Gérard, avait fini par produire quelque chose! Monsieur Schiller fut oublié, le reste de ses troubles aussi, le reste de sa vie, même; elle se vit sur le balcon de la rue Fabre, un paquet de coton et de laine dans les bras, heureuse de bercer autre chose que des malheurs trop longtemps remués, trop souvent ruminés. On était l'été suivant, le bébé, un garçon, une fille, peu importe, avait quelques mois et elle le gardait tous les jours parce que Thérèse pliait placidement des serviettes de papier au Beau Coq Bar-B-Q... C'était son bébé à elle et tout, absolument tout dans sa vie, avait été bouleversé. Et elle était heureuse.

Mais son rêve fut de courte durée. Thérèse alluma une cigarette, une Turet, les pires, les plus fortes, celles qui sentaient le plus fort et qui faisaient tousser, tira une longue bouffée puis regarda sa mère.

«J'm'en vas d'icitte, ben vite. C'est plate pour crever la bouche ouverte pis y'a pas d'argent à faire. Les gérants de banque, c'est toute une gang de tout-nus qui pensent qu'un compliment entre le hot chicken pis le dessert ça vaut un pourboire, pis qu'y partent sans te laisser une crisse de cenne noire. Je retourne au French Casino, avec Pierrette, pis j'veux pas entendre un mot!»

Albertine faillit dire : «Pis ton bébé?» mais se retint juste à temps. Thérèse n'avait pas changé. Rien n'avait changé. Son rêve d'évasion avait duré le temps d'une tranche de peau de poulet bien mastiquée. Elle prit un morceau de cuisse, un peu trop gros, un peu trop gras, et eut l'impression de se bâillonner avec.

Thérèse continua de parler, mais tout bas, comme si elle avait monologué pour se convaincre elle-même du bien fondé de ses dires. Elle roulait sa cigarette sur le bord du cendrier, la tapotait nerveusement pour faire tomber une cendre qui n'avait pas le temps de se former, la mordillait ou la tenait très droite entre ses dents quand elle cherchait ses mots. Albertine ne regardait pas le visage de sa fille ; elle suivait sa main, les volutes de fumée, elle regardait se gonfler la pile de serviettes comprimées en essayant de prévoir le moment où elle basculerait en bas de la table. Et elle ne mangeait plus. Le poulet et les frites figeaient dans son assiette et la sauce, là-bas, à côté de la salière et de la poivrière, se couvrait d'une peau grasse.

«Ça peut pas durer comme ça longtemps. Si j'reste icitte, j'vas venir folle pis vous allez être obligés de m'enfarmer... Chus pas faite pour ça... Chus pas faite pour la tranquillité pis la paix. J'angoisse, icitte. À deux heures de l'après-midi, quand y'a pus parsonne pis que j'sais que j'verrai pas un verrat de client avant cinq heures et demie, j'pourrais toute casser ! Chus faite... chus faite pour le bruit, pis le mouvement, pis la boucane de cigarette, pis la senteur d'la bière pis du fort... Chus faite pour encourager les marcheuses, sur le stage, pis décourager les mains entre les tables... Chus faite pour la nuit. Pour travailler dedans. Pour en vivre. Chus faite pour vivre de la nuit. Pour sortir du French Casino quand y commence à faire clair, avec Pierrette pis Simone qui comptent encore leur p'tit change... pis prendre un dernier coup avec

214

elles, celui qui va m'assommer pis me faire oublier que le jour existe... Icitte, tout est à l'envers pour moé. J'ai toute faite pour sortir du Plateau Mont-Royal, j'ai marié un épais qui a essayé de m'enfarmer dans un trois et demie sur la rue Dorion, je l'ai convaincu de me laisser aller travailler avant que je le tue, j'ai abouti sur la Main oùsque j'ai retrouvé tous ceux qui s'étaient sauvés d'icitte eux autres aussi... Pierrette, Simone, mes seules vraies amies, ton frère, mon oncle Édouard, le boute-en-train de la Main, Maurice qui veut jouer les pimps mais qu'on peut replacer d'une bonne claque su'a yeule... du monde comme moé, qui pensent comme moé, qui vivent comme moé, la nuit, qui se soûlent, qui rient, pis qui finissent par oublier qu'y vivent. J'veux pas r'venir icitte pour servir du Bar-B-Q à du monde que j'haïs pis qui me méprisent. J'ai essayé. Par faiblesse. Par fatigue. Chus fatiquée, c'est vrai, mais c'est pire quand j'arrête, j'le sais à c't'heure. Ça sert à rien de continuer à essayer de me convaincre que chus ben icitte, chus malheureuse, c'est toute! Là-bas, quand les jambes me viennent molles comme d'la guénille, j'prends un bon coup de fort pis j'continue. Icitte, j'vas mourir. Chus morte. Icitte, chus morte. D'ennui. Parce que j'ai l'impression de travailler pour gagner ma vie. Là-bas, j'travaille pas pour gagner ma vie... »

Elle s'arrêta au beau milieu de sa phrase. Elle chercha quelques secondes comment la finir, ne trouva pas, écrasa le petit bout de cigarette qui commençait à lui brûler les doigts.

« Là-bas j'travaille pas. J'pense que j'ai du fun. »

Au mot fun Albertine sursauta.

«Tu verras ben si t'as encore du fun quand t'auras vingt-cinq ans pis que t'auras l'air d'en avoir cinquante.»

Thérèse sourit. Un petit sourire triste, à peine esquissé.

«T'as toujours eu cent ans, moman. Pis t'as jamais eu de fun de ta vie. Moé, j'vas toujours en avoir.»

La naïveté de sa fille fit bondir Albertine hors de sa banquette.

«J'en ai assez entendu pour aujourd'hui... Tu me rappelleras quand t'auras d'autre chose à me dire...»

Elle s'éloigna en replaçant sa robe et en serrant sa sacoche sous son bras gauche. Elle marmonnait pour elle-même des choses cent fois ressassées et qu'elle n'osait pas dire à Thérèse, ici, dans ce restaurant chic, parce que la chicane qui s'ensuivrait risquerait de faire rougir les belles oreilles propres de monsieur Dubé. Et parce que c'était parfaitement inutile. «Du fun! Quel fun? Celui de servir des soûlons pis des guidounes qui savent pus ce qu'y disent? Celui de passer à travers la nuit la yeule fendue jusqu'aux oreilles parce qu'on a mis quequ' chose dans notre drink pour nous pomper encore plus parce que les drinks sont pas assez forts, sont pus assez forts pour nous tenir deboute? Celui de passer les heures de clarté avec un oreiller sur la tête parce que la lumière nous fait mal aux yeux? Quel fun?» Elle faillit accrocher le coq en plâtre en passant et elle tirait déjà la porte pour sortir quand elle entendit la voix de sa fille au cœur de l'obscurité du restaurant.

«J'me rappelle même pus de ton numéro de téléphone!»

Jamais en dix ans il n'avait trouvé la porte barrée. Il pouvait toujours grimper les trois marches qui menaient au balcon sans se soucier s'il aurait à se manifester de quelque façon que ce soit pour entrer dans la maison : au plus fort de la canicule, alors que tout dormait à Montréal et que seules les stridulations des cigales perçaient l'humidité collante ou après une tempête de neige, dans l'immobilité ouatée de la rue Fabre endormie sous deux pieds de neige, il n'avait qu'à pousser la porte et elle s'ouvrait sur ces parfums d'un autre âge qui l'assaillaient dès le portique franchi, sur ces sons qu'on lui avait montré à produire autant qu'à apprécier, sur cette lumière qui n'avait rien à voir avec le temps qu'il faisait dehors, sur ces femmes, toujours les mêmes, éternellement jeunes et éternellement vieilles, interchangeables mais terriblement différentes, en même temps sérieuses et joyeuses, qui avaient pris sa vie en mains et l'avaient guidé, lui, enfant solitaire et différent, vers une connaissance très vaste mais très perturbante, et sur son chat. À l'origine de tout ça, le savoir intellectuel et le savoir des sens, il y avait toujours eu ce mentor clownesque qui pouvait lui apprendre en-

218

tre deux séances de caresses ou deux siestes sur la bavette du poêle des mots longs comme le bras et des concepts insoupçonnés qu'il avait le don de rendre simples et compréhensibles. Elles étaient l'incarnation même de la connaissance venue de l'origine des temps, lui, la boule de fourrure, était leur transmetteur. Et Marcel, dans un ravissement qui ne s'était jamais démenti en dix ans, avait été le réceptacle où sont déposées les choses les plus belles, les plus précieuses.

Mais en cette fin d'après-midi somptueuse à couper le souffle, alors que l'été à peine né déployait ses premières touffeurs, il avait trouvé la porte barrée.

Marcel avait descendu l'escalier de sa maison en courant, les pantalons mal attachés, son indésirable érection lui battant la jambe dans un chaud attouchement, peau du pénis contre peau de la cuisse, qui l'enfiévrait. Le désir était toujours aussi cuisant mais le dégoût qu'il avait ressenti devant le poil noir qui se dressait sur son pubis l'empêchait de fourailler dans son pantalon pour se soulager. Parce qu'il avait vraiment besoin de se soulager. Pour la première fois. Savant en mots et en choses du domaine de l'art, conscient des cinq sens qu'il pouvait nommer sans se tromper, il ne connaissait cependant rien des véritables secrets de la nature et ne savait pas que son corps, probablement à la faveur de la nuit, se soulagerait tout seul de son trop plein de sève s'il ne le faisait pas lui-même et il croyait que ce travail qui s'opérait entre ses jambes, cette transformation dont il se serait volontiers passé, était définitive. Il se voyait déambulant

219

dans la vie avec une bosse dans son pantalon dont il n'arrivait pas à se débarrasser et il avait honte.

Ses amis de classe, même les filles, en avaient pourtant souvent parlé devant lui, il était même le dernier garçon à qui la chose arrivait, les autres pratiquant depuis longtemps le si beau soulagement, mystérieux et défendu, dont ils faisaient une description brutale en rougissant. Il savait donc, au fond, que tout ça était passager, que la bosse allait disparaître, puis revenir, mais dans la panique du moment, à cause surtout de cette toison qui s'annonçait et dont ses amis n'avaient jamais parlé, de son cœur, aussi, qui battait comme quand il avait trop couru alors qu'il n'avait que descendu un escalier, le vide s'était fait dans son cerveau et il ne pensait pas plus loin que son érection.

Arrivé au bas de l'escalier il se plia en deux au cas où il croiserait quelqu'un et se glissa le plus rapidement possible dans le parterre des voisines. Il s'assit sur le perron en se disant qu'il ne pouvait quand même pas se présenter comme ça devant elles qui jamais n'avaient parlé de choses qui se produisaient en bas de la ceinture. Il attendit, tête penchée sur son pantalon. Quelqu'un qui serait passé par là aurait probablement pensé qu'il priait en bon petit catholique qui consacre quelques minutes de son temps à son Dieu.

Son cœur se calma. La bosse, doucement, dans une chaleur elle aussi troublante, se résorba. Quelque chose de collant glissa sur sa cuisse, la coupant en deux comme si un peu de sang avait coulé d'une blessure. Il attendit d'être bien convaincu que son pénis avait réintégré son caleçon avant de se relever.

Fallait-il en parler avec elles? Il rougit violemment rien qu'à y penser. Non. Il tairait tout ça et se laisserait bercer par la leçon d'aujourd'hui. Ou la démonstration d'une autre merveille inutile.

Il vit son reflet monter dans la vitre de la porte. Un adolescent dégingandé, un peu titubant, le dos déjà voûté par une culpabilité chronique; un ancien bel enfant à qui tout avait été donné et qui commençait à perdre pied sous le poids de son savoir mal digéré, mal canalisé.

Il tourna la poignée de la porte sans y penser, comme il le faisait depuis si longtemps. Il lui fallut quelques secondes avant de bien comprendre qu'elle ne s'ouvrait pas parce qu'elle était barrée. Pendant ces quelques secondes il tourna, retourna la poignée, poussa sur la porte sans vraiment penser à quoi que ce soit. Puis la vérité lui vint d'un seul coup et il eut l'impression pendant un court instant qu'il allait passer le reste de sa vie à pousser en vain sur cette porte en regardant vieillir son reflet dans la vitre.

Et pour la première fois il vit la sonnette, à sa droite. Avait-elle toujours été là? Ne venait-elle pas plutôt de surgir du néant pour lui signifier qu'il fallait désormais demander la permission pour avoir accès aux trésors de cette maison interdite à tout le monde sauf à lui? Il déplia l'index, hésita, puis appuya doucement sur le bouton métallique, probablement du cuivre, en tout cas bien astiqué. Un petit déclic, la porte qui s'entrouvre. Mais très peu. Juste assez pour faire passer deux oreilles pointées dans sa direction, deux yeux pétillants de malice, un museau mouillé et froid, une moustache en balai.

La porte se referma. Nouveau déclic.

Mais Duplessis était là.

« Chus sûr qu'y font exiprès! Y veulent que toutes les élèves de quatrième année de la province de Québec restent en quatrième année! L'année prochaine, là, y va y avoir ben ben ben du monde en quatrième année, pis personne en cinquième! Les classes de quatrième vont avoir soixante z'é-lèves, pis celles de cinquième vont être vides! Y va avoir des belles classes vides dans l'école, pis celles de quatrième vont être tellement pleines qu'on va toutes mourir étouffés! Y doivent manquer de pro-fesseurs de cinquième, ça doit être ça! Quand c'y est rendu qu'y nous demandent des questions sur des affaires qu'on a même pas vues, que c'est que tu veux faire? Quand tu comprends même pas les mots de la question, avec quels mots tu veux répondre? Moé en tout cas, là, ma feuille était pleine de trous blancs quand je l'ai donnée au frère Robert. J'ai juste souligné les mots des questions que je connaissais pas, en mettant un point d'interroga-tion au-dessus, c'est toute! Au moins y vont savoir que c'est pas les réponses que je savais pas mais les questions que je comprenais pas! Vous autres, les smattes, on sait ben, j'suppose que vous avez toute compris toute la journée! Toé, là, qui disparais pis qui réapparais comme Notre Seigneur Jésus-Christ, tu le savais c'que ça veut dire symonyme, dans l'examen d'à matin?

— C'est pas symonyme, c'est sy*n*onyme...

— Pis? Qu'est-ce ça change? J'comprends pas plus! Déjà que tu me reprends sur les mots que je comprends, si en plus tu te mets à me reprendre sur ceux que j'comprends pas...»

Claude Lemieux était rouge de rage. Et il avait les yeux secs. L'enfant de la grosse femme et Jay Pee Jodoin s'étaient attendus à le voir sortir de la classe en larmes parce que l'examen de mathématiques avait été particulièrement difficile, mais on aurait dit qu'il avait épuisé sa réserve de la journée. Ses joues étaient en feu, son front moite mais ses yeux ne recélaient aucune trace d'humidité, ils étaient même striés de rouge comme lorsqu'on sort d'une pièce trop enfumée avec l'impression que les paupières vous piquent.

«J'te dis que chus t'assez content de pas r'venir icitte l'année prochaine, moé! C'toute une gang de malades!»

Il y eut un petit flottement entre eux. Claude Lemieux regarda ses deux amis sans comprendre ce qui se passait puis, tout d'un coup, il comprit les implications de ce qu'il venait de dire et comme d'une fontaine qui s'est arrêtée pendant l'hiver et dont on fait actionner les valves pour voir si tout fonctionne bien, elles jaillirent brusquement, généreuses et sincères, parce qu'elles ne venaient pas de la rage mais de la vraie peine, celle du cœur.

À quoi ça servirait de monter en cinquième? Il ne connaîtrait personne là où il allait! Il se retrouverait au milieu d'étrangers hostiles qui ne feraient de lui qu'une bouchée, comme le Grand Méchant Loup avec le Petit Chaperon Rouge dans la version expurgée que lui avait racontée l'enfant de la grosse femme et qui l'avait empêché de dormir pendant toute une semaine...

Une image s'était présentée à son esprit: c'était le lundi de la rentrée... il arrivait à l'école... une école laide, mal entretenue, au milieu d'un champ désert... il avait d'ailleurs marché deux heures et demie pour s'y rendre... sous la pluie... il entrait dans la cour d'école remplie de bums de la campagne avec des bottes pleines de... comment ça s'appelle, donc... de... en tout cas, d'la marde de vache... le silence se faisait... toutes les têtes se tournaient vers lui dans sa jolie culotte courte bleue pourde qu'il avait honte de porter même en ville tellement elle faisait moumoune... tout le monde se mettait à rire... les bums aux bottes pleine de... s'avançaient vers lui avec des grimaces à faire peur... et son calvaire commençait.

C'était sur cette image qu'il pleurait; il pleurait sur lui-même, sur son grand malheur personnel, beaucoup plus que sur la perte de ses amis. Il les aimait pourtant passionnément, mais moins pour ce qu'ils étaient vraiment que pour ce qu'ils lui avaient toujours apporté malgré leurs incessantes taquineries: une sécurité affective, une tendresse primitive, rarement exprimée mais réelle. Il les avait toujours connus, ils étaient sa famille, et la seule idée de se retrouver sans famille dans un environnement peut-être hostile le rendait fou de

225

peur. En parfait enfant égoïste de neuf ans, il était le centre de son propre univers, tout le reste, même les humains, était en quelque sorte accessoire et servait à son bien-être ; ce monde-ci existait pour prendre soin de lui, qu'adviendrait-il de lui dans un autre monde qui jusque-là avait existé sans lui ? Serait-il accepté dans le puzzle de quelqu'un d'autre ou le rejetterait-on comme un morceau de ciel bleu qui s'est égaré dans un casse-tête représentant un sous-bois à l'automne ? Tout ça lui passait par la tête en même temps : l'école inconnue ; le rire moqueur de ses nouveaux camarades qui ne seraient jamais sa famille ; son puzzle à lui dont il était la pièce centrale, la clef de voûte ; cet autre qui représentait un dessin dont il ne faisait pas partie et dont il serait probablement banni. Et il pleurait.

De son côté, Jay Pee Jodoin n'était pas mécontent de lui-même : élève moyen, il visait toujours la bonne moyenne et se contentait de résultats moyens, ce qui l'empêchait de vivre les affres et les inquiétudes des élèves qui travaillaient trop ou la fausse complaisance des cancres qui s'en foutaient complètement ou en tout cas le prétendaient. Au contraire de Claude Lemieux, il n'avait donc pas paniqué devant les difficultés de l'examen de français ni de celui de mathématiques. Il avait commencé par mettre définitivement de côté les questions qu'il ne comprenait pas (lui non plus ne connaissait pas la signification du mot synonyme) pour se concentrer sur celles qui restaient. Il avait ensuite répondu aux questions les plus faciles et avait bûché pendant tout le reste de la session sur les pièges qu'il croyait éviter. Ce qui lui assurait à peu près les soixante pour cent requis pour passer son examen.

Il passait d'ailleurs à travers tout dans la vie avec ce manque d'ambition et d'envergure qui faisait de lui un être d'humeur égale, jamais enragé mais jamais enthousiaste non plus, charmant mais pas trop, pas suiveux mais pas chef de gang non plus, qu'on aurait dit heureux sans excès quand quelque chose de bien lui arrivait mais pas vraiment dévasté non plus quand une peine se présentait.

Il n'était pas lymphatique ou amorphe, non, il était toujours le premier à courir, à grimper, à se cacher dans les endroits les plus invraisemblables quand on jouait à la kékane ou à se creuser les méninges quand venait le temps, les jours de pluie, de se concentrer sur des devinettes. Mais il n'était jamais l'instigateur de quoi que ce soit : il fallait décider pour lui que le temps était venu de courir, grimper, se cacher, deviner... Il avait la placidité de qui n'attend rien de spécial de la vie et se contente de la regarder passer sans trop s'engager. Son père, par exemple, rêvait de le voir devenir chauffeur d'autobus comme lui et Jay Pee se disait pourquoi pas, c'est pas si pire, c'est même beaucoup mieux que ben d'autres affaires...

Presque assuré d'avoir passé son examen de mathématiques, il aurait eu envie de sortir de l'école en courant, d'oublier que d'autres examens l'attendaient le lundi suivant et ne se concentrer que sur la fin de semaine qui commençait, mais il fallait consoler Claude Lemieux qui paniquait en reniflant comme un bébé de deux ans, alors il consolait Claude Lemieux du mieux qu'il pouvait, sans exaspération ni apitoiement, le temps de l'oubli et des jeux finirait bien par se présenter, pourquoi se presser, pourquoi s'impatienter...

227

L'enfant de la grosse femme, lui, bouillait d'impatience. Il en avait vraiment assez des pleurs et des jérémiades de son ami et se surprenait à anticiper le moment où il disparaîtrait définitivement de sa vie. Il aimait beaucoup Claude et il savait que celui-ci lui manquerait énormément quand il déménagerait à Saint-Eustache mais là, là, en ce moment, devant la porte de l'école, au milieu de la cour vide, sous ce soleil éclatant qui appelait tout sauf les lamentations, il avait envie de le brasser, de le pincer, de le pousser, de le renverser par terre...

«Si t'étudiais de temps en temps, tu braillerais moins, aussi! On pourrait laver la cour d'école avec les larmes que t'as versées aujourd'hui, c'est pas des farces!»

Il avait parfaitement conscience de l'injustice de ce qu'il disait: son ami était un travaillant, un piocheur, il réussissait à apprendre à force de volonté et de travail mais c'était aussi un grand nerveux qui oubliait tout quand il se retrouvait dans une situation qu'il trouvait incertaine et tout, absolument tout dans la vie, lui semblait incertain à partir du moment où il quittait la maison de sa mère. Si l'école s'était déplacée chez lui il aurait été un premier de classe!

Claude Lemieux se dressa sur le bout des pieds comme le font les êtres petits quand ils sont insultés.

«Un bon jour, tu vas t'ennuyer de mes larmes, tu sauras me le dire!

— Eh, que t'es niaiseux! J'pourrai pas te le dire tu seras pas là!»

228

Des rires pointus fusèrent pas très loin et les trois garçons tournèrent la tête. Les trois filles les attendaient à la porte de la cour d'école, Carmen Brassard et Carmen Ouimet se tenant par la taille, Linda Lauzon le doigt bien planté dans la narine droite. L'absurdité du tableau, trois filles dans la cour de l'école des garçons, dissipa l'amorce de chicane entre l'enfant de la grosse femme et Claude Lemieux. Jay Pee Jodoin soupira mentalement: cette fois, il n'aurait pas à servir de tampon.

«Que c'est que vous faites là! Êtes-vous folles! Si vous vous faites pogner...»

Linda Lauzon ne prit même pas la peine de sortir son doigt de son nez pour répondre.

«On se fera pas pogner, y reste pus parsonne! Envoyez, venez-vous-en, maudits lambins, on va rentrer ensemble!»

Et pour la première fois depuis des années, trois garçons et trois filles empruntèrent ensemble la rue Gilford pour rentrer de l'école. Et comme pour narguer le quartier au complet, même s'ils étaient à peu près sûrs que personne ne les verrait, ils s'étaient pris par la taille, beau bloc d'enfants qui fuient les tourments de l'école, et marchaient dans la rue en chantant «Youkaïdi, youkaïda».

La forêt enchantée était bel et bien morte pour lui et l'enfant de la grosse femme chanta un peu plus fort que ses camarades en passant devant.

Elle reçut le soleil en pleine face comme une claque. Trop de lumière en même temps. Trop de chaleur directe. L'humidité de l'air lui mit aussitôt la sueur au front. Elle se réfugia sous l'auvent de la pharmacie, au coin de Cartier et Mont-Royal, et regarda passer les badauds heureux d'offrir leur visage et leurs bras à la caresse de ces premières heures de l'été qu'ils attendaient depuis si longtemps.

En face, le couvent Mont-Royal trônait au milieu de ses pelouses prétentieuses, seul îlot de verdure dans cette rue bétonnée, seule manifestation de richesse dans la pauvreté ambiante.

Le soleil tombait sur tout ça, le couvent, les magasins, la rue, les voitures, les passants, trop cru, effaçant les couleurs, insistant sur les laideurs des gens, leur manque de goût, leur insignifiance. Oui, c'est ça, leur insignifiance. Elle les aurait pris un à un et les aurait battus tant ils lui semblaient insignifiants. Comme sa mère avec ses peurs, ses plaintes, sa petite vie misérable. Elle n'avait pas vu sa mère en pleine lumière du jour depuis très longtemps mais elle était persuadée qu'Albertine, ici, en ce moment même, au coin de Cartier et Mont-Royal, lui paraîtrait encore plus petite, plus... insignifiante. Pourquoi ce mot lui revenait-il sans cesse en tête depuis quelques minutes ? Parce qu'elle-même venait d'avoir un geste qu'elle trouvait courageux ? Ce tablier lancé à la figure de monsieur Dubé, ce bras d'honneur offert au chef qui essayait depuis des mois de l'acculer dans un coin, cette envie qui l'avait prise de s'emparer de la maudite lampe et de la garrocher sur le mur, cette phrase prononcée lentement comme une menace : «Quand j'vas r've-nir icitte, ça va être comme cliente ! Pis saoule !», tout ça lui donnait-il le droit de juger les autres, de se sentir supérieure ? Oui ! Elle venait de franchir un pas important, de faire un choix qui allait changer sa vie, lui redonner ses ailes, la rendre au monde auquel elle appartenait, elle avait une fois de plus pris sa vie en main pour la secouer, la retourner, elle avait une fois de plus provoqué le destin alors qu'eux, les passants, avec leurs petits pas incertains, leur regard fuyant, leurs vêtements ridicules et leur grotesque air de victimes consentantes, se contentaient de la présence d'un soleil accablant pour se faire croire qu'ils étaient heureux !

Elle eut envie de lever le poing vers le soleil et de le maudire, mais se retint. Ça, c'était des choses qu'on faisait quand on était saoul, au petit matin, et que la maudite boule de feu osait tuer la nuit, pas quand on sortait à jeun d'un Bar-B-Q à quatre heures de l'après-midi après avoir donné sa démission...

Elle se contenta de cracher par terre et se sentit soulagée. Elle était un oiseau de nuit et n'aimait la rue Mont-Royal, les rues de Montréal, que corsetées

231

de néon et presque vides, à l'heure où les commerces licites fermaient et où ceux, bars, tavernes, clubs de nuit, blind pigs, qui flirtaient avec le défendu, le pas propre, le pas respectable, ouvraient leurs portes aux rêves trompeurs, faux la plupart du temps et souvent dangereux mais tellement consolants. Elle avait toujours ressenti le besoin de se consoler de vivre, avait trouvé dans la nuit un baume, une drogue, plutôt, qui engourdissait son intelligence, ses questionnements, et elle y retournait, après quelques mois d'infidélité, avec un soulagement sans bornes.

Elle serait volontiers restée là à attendre que le soleil se couche plutôt que de l'affronter mais il restait quatre ou cinq longues heures de lumière avant la nuit et elle n'avait pas envie de passer pour une guidoune. Elle sourit quand même à l'image qu'elle offrait : une guidoune à la porte d'une pharmacie... Elle traversa donc la rue Cartier presque en courant pour retrouver l'ombre bienfaisante d'un vieux magasin de chaussures. Elle passa devant le bureau de la Household Finance en détournant la tête parce qu'elle leur devait vraiment trop d'argent et tardait vraiment trop à les payer.

Où allait-elle ainsi ? Certainement pas chez elle. La rue Dorion dans la côte Sherbrooke, le passage étroit entre deux maisons, la cour intérieure, l'appartement, au fond, où elle allait recommencer à croiser son mari, un autre insignifiant, deux fois par jour : le soir, quand il arriverait de travailler et qu'elle partirait, le matin quand lui partirait et qu'elle arriverait, paquetée, d'une fin de party mouvementée avec les habitants de la nuit comme elle, le lit de fer hérité de sa grand-mère, la table de bois bancale, le frigidaire tout neuf et inutile parce que personne ne mangeait jamais dans cette maison-là, tout ça l'angoissait et elle se mit à la recherche d'un endroit sombre et frais où elle pourrait tranquillement attendre la noirceur. Quelque chose comme une église mais sans l'odeur de l'encens et le poids de la religion, quelque chose comme une taverne où les femmes pourraient s'asseoir à côté des hommes et leur prouver qu'elles pouvaient les accoter n'importe quand. Mais il faisait trop clair partout.

Elle se surprit à penser qu'elle aurait dû retarder de quelques heures sa grande scène au Bar-B-Q de façon à ne pas avoir à affronter les assauts du soleil.

Après tout, ne se vantait-elle pas souvent, l'hiver, de ne pas voir la lumière du jour pendant toute une semaine et même plus ?

Elle avait soif.

« Avant, quand tu te couchais sus moé, c'était pésant. J'sentais ton poids. C'tait chaud. Tu t'étendais sus mon ventre de tout ton long, tu mettais ton museau froid dans mon cou. Moé, j'te grattais en arrière des oreilles parce que tu m'avais dit que c'tait là que t'aimais le mieux que j'te gratte. Tu faisais partir ton p'tit moteur. Tes griffes, des fois, sans le faire exiprès, entraient dans ma peau. Ça faisait juste un p'tit peu mal. J'me plaignais pas. On restait comme ça longtemps longtemps. Toé, tu me disais que t'entendais mon cœur battre, moé j'essayais d'entendre le tien. »

Deux larmes coulaient dans son cou, des larmes qu'il avait l'impression d'avoir versées longtemps auparavant, des jours, peut-être des mois ; des larmes qui avaient mis des mois à contourner les ailes de son nez, à traverser ses joues avant de rouler tout doucement dans son cou. Il se rendit compte qu'il s'était mis à pleurer le jour où il avait compris que Duplessis commençait à s'effacer et qu'aujourd'hui était le jour où tout s'arrêterait : ses larmes cesseraient de couler, son cœur de battre pour son chat parce qu'il n'existerait plus même pour lui, l'été qui s'était annoncé à lui en personne

234

et qu'il avait cru sien, le temps, la vie, le monde. Une porte barrée lui avait signifié la fin de tout et désormais il ne serait plus qu'un adolescent perdu dans un monde qui ne le comprenait pas.

Il avait repris sa pose favorite sur le plancher du balcon des voisines : couché sur le dos, les bras en croix, il avait attendu que Duplessis finisse sa toilette — même s'il n'en était plus le témoin amusé d'autrefois, il la devinait à la petite langue rose qui sortait de la gueule du chat pour lécher une patte désormais invisible — avant de l'inviter à s'installer sur son ventre. Duplessis avait aussitôt obéi mais Marcel n'avait d'abord rien senti parce que son chat ne pesait plus rien. Seul le chatouillement du museau dans son cou, toujours aussi frais, toujours aussi humide, lui avait prouvé la présence du chat. Et le ronronnement qui s'était déclenché tout seul. Marcel avait l'air d'un jeune crucifié, paumes ouvertes, pieds croisés, dans l'attente que tout finisse.

Duplessis n'avait encore rien dit. Marcel savait qu'il l'écoutait parce qu'il avait levé la tête pendant quelques secondes et avait vu les beaux yeux jaunes qui le couvaient comme quand il venait d'être malade et que Rose, ou Violette, ou Mauve l'installait sur le sofa du salon avec une débarbouillette d'eau froide sur le front. Des yeux d'humain qui comprennent. Duplessis attendait toujours que Marcel soit rendu au bout de ses doléances ou de ses enthousiasmes avant de parler. Mais cette fois Marcel n'était pas trop certain d'avoir hâte que son chat lui adresse la parole. Parce que sa voix, elle aussi, s'effaçait depuis quelque temps. Ce n'était plus la voix pleine de santé, au juron facile, coupante quand il fallait sévir et caressante quand une sur-

235

prise ou un cadeau n'était pas loin, non, c'était une toute petite gamme de notes flûtées qu'on aurait dit sortie d'un lutin enrhumé ; il en manquait même des bouts, parfois, comme il manquait des bouts du corps de Duplessis. Les longues leçons sur la vie, ou la nature, ou les arts étaient désormais impossibles parce que des notions essentielles se perdaient entre deux tintements de grelot. Duplessis s'était même excusé, une fois, de parler en pointillé. Marcel ne pouvait donc plus rien apprendre depuis des mois et ses larmes coulaient sur son éducation brusquement interrompue pour des raisons qu'il ignorait et qu'il savait parfaitement injustes.

«Bouge pas. Laisse ton museau là. C'est peut-être la dernière fois...»

Duplessis releva brusquement une tête étonnée. Marcel vit flotter le museau, la moustache, les beaux yeux, les oreilles pointées.

«Penses-tu que j'le sais pas que le temps est compté ? Penses-tu que chus pas capable de lire les signes ? Vous m'avez montré tellement de choses depuis dix ans, vous m'avez fait comprendre tellement d'affaires que chus capable de penser tu-seul, à c't'heure, t'sais !»

Il referma les bras comme s'il s'était attendu à retrouver le poil doux, les muscles, la graisse, aussi, parce que Duplessis, à la fin du printemps, était toujours un chat un peu obèse.

«T'as pus de corps, Duplessis, t'as pus de voix... La porte de la maison est barrée... Vous me rejetez pis j'veux savoir pourquoi !»

À nouveau, la présence humide du museau dans son cou. Son cœur fondit.

«Non, non, j'veux pas le savoir! J'veux pas que ça arrive! Reste avec moé, mon amour, on va se faire du bien! Tout ce qui est en dehors de toé est mal, tout ce qui est en dehors de vous autres me fait peur! Gardez-moé!»

Un déclic derrière lui. La porte de la maison venait de s'ouvrir toute grande. Fou d'espoir, il roula sur lui-même et se retrouva à plat ventre devant l'entrée. La tête de Duplessis était maintenant à la hauteur de son oreille droite. Au-delà du portique Marcel aperçut des valises, des dizaines de valises empilées le long du corridor qui menait à la cuisine. Des malles de métal aux coins renforcés et brillants, d'énormes paniers d'osier encore ouverts d'où sortaient des manches de blouses et des bouts de jupes, des boîtes de chaussures, des boîtes à chapeaux. Une robe sortie d'un autre temps passa dans le corridor. Rose, Violette ou Mauve. Une ombre transportait des vêtements qui allaient retrouver les autres dans un fouillis étonnant pour des femmes ordinairement si rangées. On poussait des meubles, on empilait des chaises, on mettait des housses, on descendait des rideaux. Quelque chose d'urgent se préparait dans la pénombre de la maison, quelque chose de définitif et d'affreux.

Marcel cria tellement fort que la tête du chat s'aplatit sur le plancher du balcon.

«Vous déménagez!»

L'adolescent sentit sa vie au complet sortir d'un seul coup de son corps en même temps que l'air quittait brusquement ses poumons. Il cracha, il vomit le souffle de connaissance qu'il avait reçu d'elles, de lui, et se sentit vide et ignorant comme lorsqu'il avait trois ans et qu'il les avait connus tous les cinq. Il redevint l'enfant zozoteux à qui on avait enlevé et remis son amour, en qui on avait plus tard déposé des merveilles; il retrouva cet état d'ignorance d'où il était parti et se dit j'ai pus treize ans, j'en ai juste trois... z'ai zuste trois ans pis j'sais rien, pis mon minou est parti, mon minou est mort, tué par le chien... Aidez-moé... On peut tout recommencer, si vous voulez...

La tête du chat s'était approchée de son oreille, la voix flutée de lutin exprimait... quoi? Des excuses? Des justifications?

Marcel se retourna sur le dos et hurla un hurlement de loup comme on le faisait autrefois dans sa famille, à la campagne, quand la pression était trop grande et que les mots venaient à manquer. Un cri d'animal. C'était un tout petit loup, un louveteau malade pris dans un piège et qui essayait de rameuter ce qu'il lui restait de forces pour ne pas sombrer définitivement dans la folie. Ou la mort.

La voix de sa mère le fit sursauter et l'enfant de trois ans prisonnier d'un corps d'adolescent de treize ans se releva d'un bond.»

Albertine se tenait devant la clôture de métal.

«Que c'est que tu fais là, étendu sur le balcon d'une maison qui est même pas habitée! Ça fait combien de fois, ça fait combien d'années qu'on te dit de pas aller là! Veux-tu que j'alle te charcher, une fois pour toutes, par le chignon du cou, hein, c'est-tu ça que tu veux?»

Et pour la première fois elle poussa la porte du merveilleux. Marcel sentit que tout redevenait affreusement normal autour de lui. La tête de Duplessis disparut, la porte derrière lui se referma pendant que sa mère traversait le parterre, montait les trois marches. La claque trop bien appliquée fit résonner son oreille. Il se leva, se baissa pour éviter la deuxième taloche qui arrivait à une rapidité folle et sortit du parterre en courant.

Albertine resta interdite au milieu du balcon. Elle savait qu'elle se tenait au seuil de la folie de son fils, à l'entrée d'un monde interdit où on ne donnait pas naissance à des enfants anormaux parce que rien n'était plus anormal, un monde qu'avait fréquenté son oncle, Josaphat-le-violon, et qui minait la vie de son enfant depuis dix ans. Un monde qu'il aurait fallu détruire si on avait su comment.

Poussée par la rage, elle se jeta sur la sonnette.

«Allez-vous-en! Allez-vous-en! Laissez-nous tranquilles! Pour l'amour du ciel, laissez-nous tranquilles!»

En tournant le coin de Fabre et Gilford, Marcel tomba dans le filet des six enfants qui revenaient joyeusement de l'école. Accueilli par une volée de «Pigeon! Pigeon! Pigeon», il fut aussitôt entouré, étrivé, échevelé et, pour une fois, son cousin ne le défendit pas. Il resta tête baissée au milieu des poussées pas tout à fait amicales et des cris stridents, presque inconscient de ce qui se passait, dévasté par cette impression qu'il avait d'avoir tout perdu.

L'enfant de la grosse femme ne participait pas au jeu cruel de ses amis mais il ne faisait rien non plus pour l'interrompre ; il restait un peu en retrait, la main sur la poitrine comme quand on assiste à un événement bouleversant, la bouche entrouverte, la tête penchée sur l'épaule. Il savait qu'il aurait dû faire comme d'habitude, se jeter dans la mêlée, repousser Jay Pee Jodoin en premier parce qu'il prenait toute bataille très au sérieux, même la plus inoffensive, puis empêcher Carmen Ouimet de trop tirer les cheveux de Marcel tout en guettant les mains de Linda Lauzon qui avait la taloche facile. Au lieu de quoi il restait là à regarder son cousin qui les dépassait tous d'une bonne tête et qui aurait pu les écraser s'il l'avait voulu parce qu'il lui avait souvent prouvé à lui, l'enfant de la grosse femme, qu'il était très fort mais qui se laissait ballotter de l'un à l'autre sans réagir.

Après un petit coup de pied au derrière plus humiliant que douloureux — un coup de pied au derrière, même le plus insignifiant, est toujours humiliant — donné sans conviction par Claude Lemieux, pourtant le plus pissou d'entre eux, Marcel leva enfin les yeux et regarda son cousin, comme s'il venait juste de reprendre conscience après un long évanouissement.

La détresse.

L'enfant de la grosse femme n'avait jamais rien vu de pareil. C'était dans les yeux, oui, et ça crevait le cœur, mais ça se lisait aussi partout sur le visage, sur les épaules, les bras, la voussure du dos. C'était comme une aura d'extrême fragilité ; ça ressemblait à un muet appel au secours qui disait c'est la dernière chance, la toute dernière chance avant qu'y soit trop tard ; c'était un pont à sens unique entre eux que Marcel était incapable de franchir. S'il tendait la main, Marcel ne se noierait pas ; s'il ne bougeait pas tout était fini.

Les poussées et les cris étaient de moins en moins enthousiastes, déjà le jeu s'émoussait. Carmen Brassard remontait une mèche de cheveux qui lui tombait dans le visage en soufflant avec sa bouche. Jay Pee Jodoin ne criait presque plus. Claude Lemieux était allé se réfugier derrière un arbre après son coup de pied... Sentaient-ils ce qui se passait ou étaient-ils déjà fatigués d'un jeu où l'adversaire était trop amorphe ?

Tout retomba dans le silence et les deux cousins restèrent face à face.

L'enfant de la grosse femme se disait qu'après la journée qui venait de s'écouler il ne pourrait jamais plus être vraiment sincère avec Marcel parce qu'il avait eu l'intention de le piller par pure jalousie et qu'il en avait honte, mais un élan de tendresse presque irrésistible, né d'un seul regard, le plus désespéré, le plus désespérant des regards, le poussait vers son cousin. Il aurait voulu se jeter sur lui, l'embrasser sur l'estomac, dans le visage, sur la bouche, l'épousseter dans le dos, sur les fesses, derrière la tête pour effacer les coups de pieds et les claques que Marcel venait de subir. Il aurait voulu mériter le pardon de son cousin en le lavant des humiliations, de toutes les humiliations de sa vie.

Il venait de découvrir la jalousie et le mensonge mais quelque chose de nouveau qui n'était pas de la pitié, qui était à la fois plus haut et plus grand que la pitié, et qu'il ne comprenait pas encore, se présentait à lui et il ne savait absolument pas quoi en faire. Quand la tendresse est mêlée à la pitié, qu'est-ce qu'on fait?

Les cinq autres enfants s'étaient un peu éloignés, conscients qu'il se passait quelque chose de très important. Ils respiraient fort, essoufflés, regardaient tantôt l'un, tantôt l'autre des deux cousins. Allaient-ils s'entretuer ou faire la paix pour toujours? Jay Pee se vit pogné à endurer Marcel à la journée longue pendant tout l'été et espéra que l'enfant de la grosse femme allait lui régler son compte pour de bon.

242

Il fut bien déçu. Ils le furent tous. Surtout l'enfant de la grosse femme qui se sentit incapable de se rendre au bout de son envie.

Il esquissa un sourire qu'il espéra sincère, encourageant sans tomber dans la condescendance, leva la main qu'il agita comme quand on dit tristement au revoir. Marcel comprit, baissa les yeux. Il aurait pourtant suffi d'un index sur le bout d'un nez, d'une main passée dans une mèche retroussée, peut-être même seulement du frôlement d'une épaule contre une poitrine. Le contact ne se fit pas. La pudeur.

La détresse. La pudeur.

Dès qu'il eut tourné le coin de la rue, l'enfant de la grosse femme se sentit lâche, nu et, pour la deuxième fois de la journée, indigne.

Là-bas, de l'autre côté de la ruelle, sa tante hurlait à pleins poumons en montant l'escalier de leur maison.

« T'arais pu attendre d'être dans'maison pour y crier par la tête comme ça, franchement... »

La grosse femme sirotait un coke avec deux pailles. Entre les gorgées de liquide sucré qu'elle laissait pétiller dans sa bouche avant de les avaler, elle déposait la bouteille sur l'accoudoir et regardait la rue Fabre à peu près vide de monde à cette heure, mais pleine de petits détails — les autos qui passent ; les oiseaux qui volent d'un arbre à un autre ; un chat hypocrite qui essaie de se dissimuler dans le gazon déjà haut, la tête levée vers les branches les plus basses où se tiennent souvent les délicieux moineaux ; Marie-Sylvia qui sort sa chaise berçante sur le trottoir parce qu'elle sait qu'elle n'aura pas de clients avant que les enfants reviennent de l'école et qui se berce ridiculement vite, comme si elle tenait la tête d'une course de chaises berçantes ; les jeux du soleil sur les plus hautes branches des arbres — des détails insignifiants, mais des détails d'été qu'elle aimait suivre de l'œil en se berçant tout doucement, elle. Le souper du vendredi serait vite préparé, elle était seule à la maison, pourquoi ne pas se payer une petite heure de balcon ? À madame Guérin qui passait, les joues

244

trop fardées, ou à monsieur L'Heureux revenant de l'église où il passait une grande partie de ses journées à licher le cul du curé comme on disait si volontiers de lui, elle disait un bonjour poli mais qui n'encourageait pas la conversation. Elle voulait avoir cette petite heure à elle seule, avant que la batterie de gros canons n'envahisse la maison : Albertine de retour de chez Schiller's, Gabriel épuisé de sa semaine et dont le silence serait plus pesant que le babillage de sa sœur, ses trois fils affamés et critiqueux parce que c'était vendredi et que le vendredi on ne mange que des affaires plates, Marcel qu'elle avait vu sortir de la maison en fou et qui reviendrait manger tout dérangé, comme d'habitude.

Elle était rarement seule et chérissait ces courts moments où elle choisissait elle-même ce qu'elle allait faire : l'hiver c'était habituellement un livre qu'elle dévorait devant la radio éteinte, l'été un tour de balconville à se bercer doucement en sirotant un coke — jamais assez froid à son goût cependant, parce qu'elle le sirotait, justement, au lieu de l'avaler en deux gorgées comme le faisait sa belle-sœur.

Un livre était posé par terre à côté de sa chaise, le dernier roman de Gabrielle Roy qu'elle n'avait pas encore lu et qu'elle avait apporté au cas... Mais l'envie de lire n'était pas venue dans la splendeur de cette fin d'après-midi. Plongée dans l'ombre fraîche du balcon, elle avait décidé de se contenter de petits riens qui la sécurisaient : l'été était vraiment là et elle avait l'intenttion de le passer sur le balcon à le regarder déployer ses grâces.

Elle avait donc assisté à la scène entre Albertine et Marcel ; elle avait même suivi du coin de l'œil, en étirant un peu la tête, entre deux marches de l'escalier extérieur, la visite de sa belle-sœur au balcon des voisines. Elle avait entendu ses supplications et, gênée, avait eu envie de rentrer dans la maison, de se cacher dans sa chambre pour qu'Albertine ne se doute de rien. Faire comme si, comme d'habitude. Mais Albertine était ressortie du parterre trop rapidement et l'avait aussitôt aperçue, la prenant à partie non seulement de ce qui venait de se passer mais de la journée entière, du mois, de l'année, de sa vie. Ça aussi, comme d'habitude. Albertine avait monté l'escalier en hurlant des choses incohérentes que sa belle-sœur devinait aisément parce qu'elles étaient toujours les mêmes. Les noms de Thérèse et de Marcel revenaient sans cesse, suivis de jurons — quand Albertine déshabillait un autel, elle le laissait complètement vide et pour longtemps — et de malédictions.

Et devant l'évidente injustice de certains propos de sa belle-sœur au sujet de ses enfants, elle n'avait pas pu se retenir et lui avait reproché la manière dont elle venait de traiter Marcel.

Albertine s'arrêta devant ce qui avait été pendant si longtemps la fenêtre de la chambre de sa mère, une toute petite fenêtre à guillottine, étroite et auréolée d'une frisure de briques plus pâles que les autres, contre laquelle elle s'appuya d'une main.

«J'y ai pas dit le quart de ce qu'y méritait...»

Les six enfants arrivaient devant la maison, têtes levées vers cette femme si imprévisible qui leur faisait peur à tous parce qu'elle pouvait exploser n'importe où, n'importe quand — on l'avait vue, chez Soucis, lancer une tranche de foie de veau à la figure du propriétaire parce qu'elle n'était pas de son goût, abreuver Marie-Sylvia d'injures parce que le Mell-O-Roll avait augmenté d'une cenne, courir après monsieur L'Heureux en pleine rue après qu'il ait osé appeler Marcel «pigeon» devant elle —, à la fois excités et inquiets de la voir une fois de plus se transformer en furie sous leurs yeux.

L'enfant de la grosse femme se tenait un peu en retrait. Il ne voulait pas voir sa mère mêlée publiquement à une crise de sa tante et se disait que si celle-ci se remettait à hurler il courrait... Retrouver Marcel au creux de la forêt enchantée? Vers la rue Mont-Royal se perdre dans le bruit? Dans la ruelle, sous une galerie, avec les chats errants et tout ce qui grouille dans le noir?

Mais quand Albertine commença à parler, il resta paralysé sous le petit érable comme il était resté paralysé devant les confidences de Marcel, le matin. La même impression d'urgence mal formulée, le même magma de mots mal tricotés qui s'entrechoquent, se bousculent tant la bouche qui les prononce n'arrive pas à en endiguer le flot, descendaient du balcon en vagues intermittentes et il ne put s'empêcher de s'approcher de la maison, d'empoigner la clôture de fer forgé encore chaude des caresses du soleil, et de tendre l'oreille aux trop grandes souffrances de sa tante.

Tout à coup, Albertine se tut et on crut que tout était fini, qu'elle allait disparaître dans la maison.

Mais la scène qui suivit étonna tout le monde.

Albertine leva les yeux, dévisagea sa belle-sœur pendant quelques secondes avec une expression d'illuminée qui ne sait plus trop où elle se trouve, puis tourna la tête vers la rue. La raison sembla lui revenir et elle porta sa main à son front. Elle traversa le balcon en contournant la chaise berçante de la grosse femme et vint s'appuyer au garde-fou. Elle se tenait toute droite, les mains bien à plat sur le bois verni, la tête haute, ce qui était rare chez elle. Et quand elle ouvrit la bouche tout était redevenu clair.

Ce fut d'abord un récitatif à peine murmuré, une préparation à quelque chose d'important, une mise en situation; il était question de la vie en général et d'une cage personnelle en particulier; il était question de malheurs refoulés dans le creux d'un lit avec un oreiller sur la tête pour que le reste de la maison n'entende pas les cris de rage; il était question de promiscuité, d'hypocrisies, d'amours qui n'arrivent pas à s'exprimer et de sauces blanches qui figent dans l'assiette; il était question de solitude au milieu d'un va-et-vient incessant et de folie aperçue furtivement quand il ne reste plus rien d'autre, la solution à tout, le parfait refuge. C'était lent, précis, doucement modulé et ça crevait le cœur.

Puis vint le grand air.

La scène représentait une maison de briques brunes de trois étages avec trois balcons superposés et un escalier qui menait du trottoir au premier. Sur le balcon du milieu se tenaient deux femmes. La confidente était une grosse femme, assise dans une chaise berçante, qui se contentait d'acquiescer à tout ce que l'autre chantait sans oser l'interrompre ou la commenter; l'héroïne, la tragique, était une petite femme toute simple dans une robe à pois qui s'exprimait peut-être clairement pour la première fois de sa vie. Son chant ondulait doucement sans vraiment monter très haut; il semblait plutôt descendre vers le chœur, six enfants de dos à qui cette complainte ne s'adressait pas vraiment mais qui s'adonnaient à passer par là quand la scène avait commencé, comme si l'adon existait. Exactement dix ans plus tôt leurs mères, enceintes, avaient chanté «Le temps des cerises» sur ce même balcon dans un moment de communion unique dans leur vie. La grosse femme n'était pas reléguée au rang de confidente, alors; elle était la soliste d'un chœur plein d'espoir qui avait monté tout droit dans la nuit de la rue Fabre.

Mais dans cet autre air, d'une terrible perfection, celui-là, et lancé du haut du même balcon dix ans plus tard par une femme qui n'avait pas fait partie de ce chœur plein d'espoir, il était exclusivement question de deux enfants, une fille sans cervelle, une sans-cœur sans conscience et un garçon sans allure, les deux pôles d'une tragédie, les deux causes d'une crucifixion. C'était un chant d'une rare économie, plus près du grégorien que du romantisme et les six enfants avaient croisé les bras sur leur poitrine pour se recueillir et se retenir de pleurer.

Au fur et à mesure que se déroulait le chant, des portes s'ouvrirent sur la rue Fabre. Les mères des enfants, d'autres, plus vieilles ou plus jeunes, sortirent sur leurs balcons, s'appuyèrent à leur tour au garde-fou ou à la colonne de soutien. Elles

ponctuaient le grand air de l'héroïne d'onomato-
pées ou de bribes de phrases qui s'enroulaient
autour du chant pour le porter plus haut. On entendait des «Ah! oui.», des «Certain!», des «C'est
donc vrai...», des «Vous avez ben raison...» qui
soulignaient l'ingratitude des enfants, leur inconscience, leurs exigences. Leurs malheurs étaient
moins flamboyants que celui de la petite femme sur
le balcon, mais elles s'identifiaient à elle qui osait
prendre la parole même si l'héroïne n'avait pas
conscience de leur présence. Elles suivaient l'air
avec leur corps, se balançaient, certaines chanton-
naient bouche fermée, d'autres poussaient de petites plaintes qui leur faisaient du bien. Les voix
s'ajoutant aux voix, le chant finit par prendre son
envol et monter tout droit dans le ciel d'un invraisemblable bleu.

L'air s'acheva sur le souffle, dans une longue
note filée qui se termina dans un soupir, après que
la tragique ait insinué que sous tout ça couvait un
grand amour qui jamais n'arriverait à s'exprimer.
Elle était penchée par-dessus le garde-fou, dans une
position d'extrême faiblesse. Elle ne se redressa pas
comme si elle avait attendu une énorme ovation qui
tardait à venir.

Le chœur se défit. Les enfants s'éloignèrent
lentement pour aller rejoindre leurs mères. Seul
l'enfant de la grosse femme resta au pied de l'escalier. Il n'osait pas encore monter à l'autel de la
tragédie.

La confidente se leva, se pencha sur la tragique
qu'elle prit par la main, qu'elle obligea à se redres-
ser et qui finit par s'appuyer contre son épaule. La

confidente eut une seule phrase que personne n'entendit parce qu'elle fut murmurée à l'oreille de la tragique. Elles entrèrent dans la maison comme on sort de scène.

L'enfant de la grosse femme frappa ses mains l'une contre l'autre trois fois.

Agenouillé dans la terre humide, assis sur ses talons, tête baissée et bras croisés dans un profond recueillement, il contemplait sa chute avec un sang-froid qui l'étonnait lui-même. À son arrivée dans la forêt enchantée il avait eu envie de pousser des cris de rage, de se rouler par terre, de donner des coups de pieds comme il l'avait souvent fait avec sa mère quand elle le chicanait trop lorsqu'il était petit, mais il n'en avait pas eu la force et, maintenant, même le goût s'était évanoui.

Il revoyait sa journée, la suivait étape par étape — les promesses trompeuses de l'été qui prétendait s'offrir à lui, ses aveux à son cousin, sa première crise d'épilepsie devant quelqu'un d'autre qu'un membre de sa famille, son rêve à Duhamel, l'incompréhension de sa tante qui se voulait pourtant tellement compréhensive, son érection dans le lit de sa mère, la découverte de la perte définitive de Duplessis et du départ de Rose, Violette, Mauve et leur mère, Florence — et il se trouvait bien naïf. Il savait pourtant depuis longtemps qu'une journée comme celle-ci finirait par se présenter ; il le savait depuis les premiers trous dans Duplessis, depuis les premiers regards de doute des voisines, parce qu'elles doutaient de lui, il en était convaincu; il savait mais il ne voulait pas savoir : l'avenir ne pouvait pas ne pas ressembler aux dix années qui venaient de s'écouler parce qu'il ressentait de plus en plus le besoin de se réfugier chez ses amies, d'écouter Duplessis parler mais, ça aussi il le savait, ça non plus il ne voulait pas le savoir, ces heures, ces grands pans de journées passées à errer d'une pièce à l'autre, n'étaient-ils pas justement devenus *inactifs*, un simple passe-temps, une simple consolation à des choses qui faisaient trop mal? Depuis combien de temps n'avait-il pas pratiqué son piano? Depuis combien de temps n'avait-il pas pris un livre à dévorer ou un crayon pour écrire? L'été précédent il avait joué sur l'énorme piano du salon des merveilles qui le transportaient si haut qu'il croyait ne plus jamais pouvoir en redescendre... Qu'avait-il fait pendant tout l'hiver et tout le printemps? Il avait écouté Florence jouer, ravi, soit, souvent transporté même, mais différemment, parce qu'il s'était contenté de vivre le ravissement de quelqu'un d'autre. Il n'avait même plus suivi la pièce écoutée en essayant de la jouer sur un clavier imaginaire comme on lui avait montré à le faire...

Autrefois, après un discours enflammé de Duplessis, il se jetait dans une activité, n'importe laquelle, la première qui se présentait; il travaillait, il apprenait, il piochait et en ressortait épuisé, pâmé et plus riche, toujours plus riche de quelque chose, de plus en plus riche parce qu'il aimait travailler et sentir qu'il s'améliorait et pouvoir s'en vanter. Mais depuis presque un an il était redevenu simple spectateur, un peu comme l'enfant de trois ans, zozoteux et ignorant qui était venu un jour déposer dans le parterre son chat mourant. Il avait perdu la passion d'apprendre et de créer et contemplait cette perte, condensée en une seule journée comme l'illustration de cette période de sa vie qui s'achevait, avec une effrayante froideur.

Il ouvrit les yeux, regarda autour de lui. Le soleil ne jouait plus depuis longtemps sur le feuillage touffu des cœurs-saignants. Il voyait le bleu du ciel à travers les branches parce que le jour était encore haut, mais la lumière sur les feuilles était uniforme, peinte par un enfant qui n'a pas encore saisi les subtilités de la couleur verte.

Puis il se mit non pas à cueillir les cœurs-saignants mais à les arracher un à un en prenant soin de bien les écraser tous entre le pouce et l'index. Ils éclataient, insectes roses sans jus, et prenaient immédiatement une couleur plus foncée, plus près du rouge, alors que Marcel les roulait entre ses doigts, les réduisant à une pâte humide un peu écœurante qu'il jetait ensuite par-dessus son épaule. Il regardait attentivement une fleur, la saisissait par le fil qui la retenait à la branche, l'écrasait consciencieusement, la jetait. Cela lui prit beaucoup de temps parce qu'il y avait beaucoup de fleurs.

Quand il n'en resta plus une seule, il trouva la forêt enchantée bien nue, comme en juillet quand elles tombaient et qu'il avait envie de les raccrocher. Il avait devancé la fin des cœurs-saignants et eut envie de faire la même chose avec toute la forêt enchantée. Et tout ce qu'elle représentait.

Si la vieille dame qui habitait le 1474 de la rue Gilford était sortie à ce moment-là de sa maison, elle aurait été bien étonnée de voir soudain son bosquet de cœurs-saignants se mettre à gigoter sur place. Comme un enfant épileptique qu'on n'aide pas à traverser une crise.

Le souper fut morne et silencieux. La grosse femme avait prévenu son mari, Gabriel, et ses deux fils aînés, Richard et Philippe, qu'Albertine était dans un de ses mauvais jours, et ils n'osaient pas lâcher leur fou comme ils le faisaient souvent, le vendredi soir, après leur semaine de travail. Ils s'étaient donc attablés en guettant Albertine du coin de l'œil. Celle-ci restait assise dans la chaise berçante de sa mère, penchée sur l'appareil de radio d'où sortaient des chansonnettes françaises dont on n'aurait pu dire si elles lui faisaient du bien ou non tellement son visage restait fermé.

Elle avait refusé de s'étendre dans son lit comme le lui avait suggéré sa belle-sœur, préférant se réfugier dans ce coin de la salle à manger qui, au cours des années, était devenu l'abri des membres de la famille qui avaient envie de se retirer pour une raison ou pour une autre. C'était un choix étonnant puisque la salle à manger était le point névralgique de la maison : située au centre de l'appartement, c'était l'endroit le plus passant, le plus achalandé, là où avaient lieu les réunions de famille et une bonne partie des chicanes. Il était donc tout à fait impossible de s'y sentir vraiment seul, surtout que la vieille chaise berçante, placée en diagonale devant l'énorme appareil de radio qui trônait dans un coin de la pièce, touchait presque la table où la maisonnée prenait son repas du soir. Et comme les crises se produisaient presque toujours autour de six heures parce que c'était le seul moment de la journée où tous les membres des deux familles étaient réunis — les petits déjeuners se faisaient en quatre services : d'abord Gabriel seul, qui travaillait très tôt, ensuite Philippe et Richard qui commençaient à neuf heures, puis les enfants en partance pour l'école et, enfin, les deux femmes de la maison quand tout le monde était parti —, on avait souvent soupé devant Marcel qui se berçait trop fort après une engueulade avec sa mère, ou Albertine elle-même qui prenait très mal les critiques sur ses talents culinaires et pouvait cesser le service au beau milieu du repas si elle entendait un seul petit grognement d'insatisfaction, ou l'enfant de la grosse femme qui protestait contre le fait qu'on refuse de le laisser aller au cinéma *Passe-Temps* tout seul en prétendant commencer une grève de la faim, ou Thérèse, surtout elle, à l'époque où elle n'était pas mariée, qui se fâchait pour un rien, se jetait dans la chaise berçante, montait le son de l'appareil et hurlait pendant de longues minutes avec Johnny Ray ou Frank Sinatra pendant que le reste de la famille plongeait le nez dans son assiette sans oser passer un seul commentaire, parce qu'oser passer un commentaire aurait déclenché le pandémonium le plus total.

Bouder devant tout le monde, comme ça, c'était culpabiliser le reste de la famille et on pratiquait beaucoup la culpabilité dans cette maison.

L'enfant de la grosse femme était assis de l'autre côté de la table. Il voyait sa tante de profil, toute ramassée sur elle-même, vieillie tout d'un coup, presque faible, elle, la terreur de la famille. On disait d'elle qu'elle ressemblait de plus en plus à sa mère, Victoire, qui avait mené la maison d'une main de maître pendant des années et qui, vers la fin de sa vie, avait abandonné toute lutte pour se réfugier devant son appareil de radio, se contentant de marmonner sans cesse des injures qui ne s'adressaient à personne en particulier mais à tout le monde en général. Albertine, effectivement, se retirait de plus en plus souvent dans le coin de la salle à manger, abandonnant même les tâches ménagères à sa belle-sœur, sauf pendant de brèves périodes d'agitation, comme pour le repassage de cet après-midi-là, où elle se jetait dans le travail pour s'étourdir ou oublier.

Mais il trouvait l'immobilité de sa tante curieuse, cette prostration après l'envolée lyrique sur le balcon anormale. Quelque chose se préparait. Elle allait leur apprendre une nouvelle qui les étonnerait tous. Ou alors elle allait poser un geste irrémédiable. Il eut peur pour Marcel qu'il savait terré dans son bout de parterre qu'il avait réussi à transcender en forêt enchantée; il eut la vision de cette femme poussée dans les méandres de la folie et qui vargeait sur son enfant qui aurait pourtant pu, d'un seul geste du bras, l'envoyer revoler. Puis il comprit une chose qui lui fit poser son couteau et sa fourchette sur la table. Ce n'était pas Marcel qui était en danger, c'était eux tous.

Albertine se tourna brusquement vers lui. Avait-elle deviné ses pensées? Elle le regarda pendant quelques secondes avant de dire:

«Vous trouvez pas que ça sent le feu?»

La grosse femme courut à la cuisine, revint visiblement soulagée.

«Non, non. Y'a rien. Tout était éteint.»

Albertine continua à dévisager son neveu.

«Oùsqu'y'est Marcel?»

Il reprit son couteau, sa fourchette, coupa un petit morceau de poisson qu'il porta à sa bouche.

«Réponds-moé quand j'te parle!»

Allait-il vendre la cachette de son cousin? Allait-il se lever, guider sa tante jusqu'à la rue Gilford, montrer du doigt le plus bel endroit du monde, la plus magique des inventions, en disant c'est là qu'y'est, c'est là que ça se passe, sautez dessus avant qu'y nous détruise toutes? Mais s'il se trompait, après tout? Si c'était Albertine qui risquait d'anéantir son fils, comme il l'avait d'abord cru?

«J'le sais pas oùsqu'y'est. Chus pas son ange gardien.»

Il détourna les yeux en direction de la fenêtre. Étendu sur le garde-fou de la galerie, Peter Pan, lui aussi de profil, jouait du pipeau.

Marie-Sylvia regarda Marcel traverser la rue. Il avait bien l'air de s'en retourner chez lui. Il lui avait juré que c'était sa mère qui l'envoyait et elle n'avait pas pris la peine d'appeler Albertine à qui elle parlait le moins possible de toute façon. Elle voyait toujours la mère de Marcel entrer dans son restaurant avec terreur ; c'était une cliente difficile et ses sautes d'humeur étaient à craindre : Albertine commandait d'une voix sèche, Marie-Sylvia déposait la marchandise sur le comptoir sans un mot, touchait l'argent et les deux femmes se quittaient sans se remercier. Ça, c'était quand tout allait bien. Mais quand Albertine décidait que quelque chose ne faisait pas son affaire, que le Coke n'était pas assez froid ou les sacs de surprises pas assez remplis...

Mais depuis la scène de l'après-midi pendant laquelle Albertine avait étalé sa douleur devant toutes les femmes du quartier, Marie-Sylvia ne voyait plus sa voisine d'en face d'un même œil. Ce n'était pas encore de la sympatie, c'était trop embryonnaire, mais elle devinait maintenant qu'entre la femme froide des beaux jours et la furie des mauvais il y en avait une autre, la vraie, que la vie avait brisée et qui se dissimulait sous un personnage qu'elle voulait agressif pour qu'on la laisse en paix. La souffrance qu'elle avait devinée chez Albertine était d'une incomparable pureté et Marie-Sylvia s'était sentie grandie d'avoir été témoin d'une scène aussi tragique. Si on lui avait dit pendant toutes ces années que cette femme allait un jour la toucher au plus profond de son âme, elle aurait ri. Elle avait toujours été convaincue qu'Albertine était née sans allure et mourrait sans même s'en être rendu compte.

Elle se frotta les reins en se dirigeant vers l'armoire à débarras où elle gardait son balai. Encore le trottoir à balayer avant d'aller se coucher. Elle attendait qu'il fasse noir, maintenant, afin d'éviter les moqueries des familles installées sur leurs balcons pour profiter d'un peu d'air frais. Malgré ce malhabile stratagème, elle ne pouvait pas éviter les rires à peine dissimulés de ceux qui entendaient le bruit que faisait son balai en soulevant la poussière. Qu'on la traite de sorcière ne la dérangeait pas — on respecte une sorcière parce qu'on en a peur — mais qu'on pense d'elle qu'elle était une imbécile... Qu'y avait-il d'imbécile à balayer le pas de sa porte?

Elle descendit les deux marches après avoir éteint toutes les lumières de son magasin et se mit à frotter avec ardeur malgré sa douleur au dos. Mais quelque chose attira son attention de l'autre côté de la rue. Une forme — Marcel avec son dos rond et ce dandinement qui ne l'avait pas quitté depuis l'enfance — se tenait devant la maison voisine de celle qu'il habitait, cette maison vide d'où elle l'avait souvent vu sortir furtivement, excité comme une puce et se parlant à lui-même. Il semblait hésiter à pousser la porte de métal qui fermait la clôture du parterre. Peut-être avait-il eu peur de ce qui l'attendait... ou de ce qu'il allait faire.

Et Marie-Sylvia comprit d'un seul coup qu'elle serait désormais connue dans les annales du Plateau Mont-Royal comme celle qui avait vendu des allumettes à Marcel.

Pour la première fois depuis des années elle ne termina pas le balayage de son trottoir et entra se cacher dans son arrière-boutique. Marcel lui avait volé son chat dix ans plus tôt ; il allait maintenant lui voler sa réputation.

Il jeta dans l'égout de la ruelle LaMennais le sac brun dans lequel Marie-Sylvia avait dissimulé la grosse boîte d'allumettes Eddy. Il approcha son nez du contenant bleu et blanc. Une odeur piquante. Le soufre. Il se sentit un peu calmé.

À la maison, il n'avait pas le droit de toucher aux allumettes — comme s'il était encore un enfant! — et ça le rendait furieux. Souvent, quand sa mère et sa tante n'étaient pas là, il approchait de la boîte de fer blanc accrochée au mur dans laquelle on tenait les allumettes, en volait quelques-unes et se réfugiait dans le hangar ou la ruelle. Mais il ne les gaspillait pas tout de suite comme le faisaient les autres enfants du quartier qu'il apercevait parfois sous les galeries en train de faire brûler de vieux papiers ou tenter d'allumer des cigarettes qui allaient les rendre malade: il commençait par imprégner ses doigt de l'odeur aigre et un peu écœurante du soufre, se fourrait le nez entre ses mains jointes, respirait fort et longtemps en fermant les yeux.

Ça sentait les portes de l'enfer. Il avait entendu un prêtre dire un dimanche matin en chaire qu'en arrivant aux portes de l'enfer le pécheur sentait l'odeur du soufre avant celle de la flamme. Il avait ajouté : «Quand l'envie vous prendra de commettre un péché mortel, ouvrez une boîte d'allumettes, approchez-là de votre nez et sentez ce qui vous attend aux portes de l'enfer!» La paroisse au complet s'était ce jour-là rendue au seuil de la damnation éternelle et les péchés s'étaient faits moins nombreux pendant un certain temps.

Mais Marcel, lui, le plus terrorisé de tous, pourtant, était souvent revenu à cette odeur comme on revient avec le doigt sur un bobo dont on veut savoir s'il est encore présent et s'il fait encore mal. Ce parfum âcre lui faisait peur mais en même temps l'attirait : il savait qu'avec un seul insignifiant de ces petits bâtons on pouvait provoquer des cataclysmes et ça le rassurait tout en le terrorisant. Quand tout irait mal, quand il serait le plus malheureux des enfants du monde, quand il n'aurait plus le choix, il déclencherait avec un bout de bois trempé dans le soufre un désastre irrémédiable, le feu, le feu dans sa vie et celle des autres, qui purifierait tout. Et le monde, son monde, pourrait recommencer.

La nuit, après son pipi de quatre heures et pour se rendormir, il imaginait la flamme vacillante s'approchant de la clôture de bois de l'école, de son pupitre verni, de la soutane de son professeur, et, surtout, des cheveux de sa mère. Les cheveux étaient issus du cerveau, les cheveux étaient les émanations du cerveau, si on mettait le feu aux cheveux de quelqu'un, cette personne-là recommençait peut-être à neuf, comme une nouvelle personne, comme un enfant, comme un bébé... et son grand désir était de recommencer sa mère.

Mais jamais, même dans ses fantasmes les plus fous, la flamme n'avait été dirigée vers la maison de Rose, Violette, Mauve et leur mère Florence. Parce qu'elle avait été son premier hâvre avant l'invention de la forêt enchantée. C'est là, dans ce premier refuge, qu'il avait puisé la force de créer le deuxième.

Il contempla cette demeure pour la dernière fois, le nez toujours enfoui dans ses mains et en se dandinant comme il aimait à le faire. C'était là qu'il avait été le plus heureux, son bonheur achevait, c'était là qu'il allait mettre le feu.

Il savait qu'elles ne lui feraient plus l'affront de barrer la porte. Il la poussa donc d'une main, laissant sur la vitre sa première trace de soufre.

Des valises, des caisses, des boîtes de cartons étaient empilées dans le corridor. Les meubles du salon étaient couverts de housses. Le piano avait été déplacé et, pour la première fois, le couvercle du clavier était fermé. La clef en avait même été retirée pour bien signifier que tout ça, la musique autant que le reste, était bien terminé. Plus de cadres aux murs, que des rectangles pâles qui dévoilaient les vraies couleurs du papier peint. Ça sentait la poussière remuée, les vieilles choses dérangées dans des coins oubliés, la moisissure des tissus restés trop longtemps pliés au fond des armoires, la boule à mites qui avait peut-être sauvé quelque capot de chat hérité d'un autre âge.

Dans le renfoncement arrondi du corridor, là où jadis s'était élevé un poêle à charbon qui avait servi à chauffer toute la maison à travers un réseau de tuyaux accrochés au plafond, gisait un énorme sac de voyage en tapisserie rouge qu'il reconnut tout de suite ; tous les trésors de sa vie, toute sa connaissance étaient sortis de ce sac : des livres, jamais les mêmes et toujours passionnants, des partitions de musique qu'il avait appris à déchiffrer à une vitesse étonnante, du papier pour écrire, du papier pour dessiner, des pinceaux et de la gouache, et Duplessis lui-même qui y dormait souvent. S'il s'agenouillait devant ce sac, s'il l'ouvrait, les dix dernières années de sa vie lui sauteraient au visage d'un seul coup et il mourrait. Il hésita. Mourir ou faire mourir. Il s'assit sur le sac, sa boîte d'allumettes serrée contre son cœur.

Vivre sans elles, sans lui, lui serait impossible mais mourir lui faisait peur. À cause des portes de l'enfer et de ce qu'il y avait derrière qui était beaucoup plus inquiétant que l'odeur du soufre. Partir avec elles, avec lui ? Les supplier de le garder, de l'effacer du monde lui aussi, de l'emmener là où ils allaient qui n'était certainement pas le seuil de l'enfer ? Après tout, que lui resterait-il après leur départ ? Il venait de démolir la forêt enchantée, sa seule invention, et il se retrouvait tout seul, sans Duplessis, dans un monde qui le rejetait.

Une ombre presque transparente passa devant lui. Mauve transportait une pile de linge et ne sembla pas le voir. Elles aussi s'effaçaient. Peut-être ne pouvaient-elles plus le voir du tout. Il avait cessé d'exister pour elles. Il croisa ses bras, se plia en deux. La douleur de se sentir rejeté était telle qu'il se dit que les feux de l'enfer étaient sûrement moins terribles. Et il décida de leur parler, à elles. Au cas où elles l'entendraient encore.

«J'vous ai désappointées. C'est ça, hein? Vous avez essayé de faire avec moé quequ'chose que je comprenais pas pis j'ai pas été à la hauteur de vos projets. Mais vous m'avez jamais dit c'que vous vouliez de moé! Vous me donniez des choses tellement belles que j'aurais voulu les montrer à tout le monde, mais vous me disiez d'attendre. Vous me disiez toujours d'attendre. De tout garder pour moé. De rien montrer. Mais attendre quoi? Que je sois prêt? Mais prêt à quoi? Prêt à quoi? Les choses que vous m'avez données, le monde autour de moé les comprennent pas de toute façon! Pourquoi avoir des choses aussi belles pis pas pouvoir les partager? Chus tu-seul dans la vie pis chus tu-seul quand je sors d'icitte à savoir c'que je sais! Quand j'en montre des petits bouts, ma mère me dit qu'a' va m'enfermer! Ça veut-tu dire que j'ai en dedans de moé des affaires que je pourrai jamais sortir, que je pourrai jamais montrer? J'en veux pas des affaires qui sont juste à moé, que chus tu-seul à connaître! J'veux pas continuer à vivre tu-seul parce que chus pas pareil comme les autres! Pourquoi jouer du piano juste icitte? Pourquoi écrire juste icitte? J'veux pouvoir faire ça partout sans passer pour un fou!»

Il s'était levé en parlant et s'était mis à courir à travers la maison. Mais il n'arrivait jamais à vraiment croiser Rose, Violette, Mauve ou leur mère Florence. Il voyait un bout de jupe qui disparaissait au détour d'une porte, courait derrière et ne trouvait rien d'autre que des malles de métal ou de carton bouilli, ouvertes ou closes, dans des pièces sens dessus dessous. Puis il comprit que les explications ne viendraient jamais parce que Rose, Violette,

Mauve et leur mère Florence n'en savaient peut-être pas plus que lui. Elles étaient là pour donner, pour transmettre, elles l'avaient fait, souvent par le truchement de Duplessis, son grand amour, son mentor... et il les avait déçues. Et maintenant elles partaient parce qu'il n'y avait plus rien à faire avec lui. Tout était donc de sa faute à lui.

Il s'agenouilla soudain au milieu du corridor, devant la valise qui contenait tous les trésors de sa vie et se mit à se frapper la poitrine.

«Tout est de ma faute, je le sais à c't'heure, mais abandonnez-moé pas complètement. Laissez-moé au moins Duplessis! Pas juste une oreille, un œil pis le museau de Duplessis, mais Duplessis au complet. Duplessis comme quand y'était de bonne humeur pis qu'on pouvait rire pendant des heures... Faites-le réapparaître comme vous me l'avez redonné après sa mort. Pis j'vous jure que j'reviendrai pus jamais icitte après votre départ, pis que je parlerai jamais de vous autres. Pis de lui non plus. J'vous jure que j'vas le garder toute ma vie avec moé sans pus jamais jamais en parler... Laissez-moé... flatter... mon chat... jusqu'à la fin de mes jours. C'est tout ce que je demande. Vous pouvez reprendre tout le reste.»

Il ne les avait pas entendues venir. Elles se tenaient toutes les quatre autour de lui, tellement belles, tellement douces. Mais elles avaient toutes les quatre un air d'impuissance qui lui fit comprendre qu'il ne reverrait jamais même le bout d'une oreille de Duplessis. C'était vraiment la fin de tout. La cérémonie de la fin de tout. Les adieux.

Il ne savait pas si elles pourraient l'entendre mais il cria à pleins poumons.

«C'est correct! Laissez faire! J'peux très bien décider que Duplessis est encore là, pis ça y'a personne qui peut l'empêcher!»

Il se pencha doucement, prit la boîte d'allumettes, la tint quelques secondes au bout de ses bras, l'ouvrit, s'emplit les poumons de l'odeur du soufre.

«Viens, Duplessis, viens-t'en mon amour... On va tout recommencer en neuf... À deux. Tou'es deux tu-seuls.»

Le petit bâton de bois craqua, s'enflamma immédiatement. Marcel déposa la boîte de carton dans un des plis de la malle de tapisserie rouge et y jeta l'allumette enflammée.

Une belle explosion. Et qui sentait très fort le soufre qui purifie. Le visage de Marcel prit une teinte rosée comme quand on s'approche trop près d'un feu.

Et lorsqu'il se retourna vers Rose, Violette, Mauve et leur mère Florence, il serrait Duplessis dans ses bras.

Violette tournait dans ses mains un tricot informe et inachevé. Elle prononça une courte phrase qu'il n'entendit pas mais qu'il arriva à lire sur ses lèvres.

«Ce qui est tricoté est tricoté, même si c'est mal tricoté.»

Il sourit.

«C'est pas grave. Le feu détruit aussi les tricots.»

Une légère fumée commençait à s'élever du passé de Marcel.

La rue Fabre était plongée dans un noir d'encre. Le lampadaire, au coin de la ruelle, qui badigeonnait habituellement les façades des maisons d'une teinte ambrée, était éteint. Les engoulevents avaient quitté le ciel après leur mariage quotidien et on n'entendait plus leurs cris un peu angoissants. Un vent très doux échevelait parfois les arbres. C'était une belle soirée pour un incendie purificateur.

Marcel sortit de la maison en serrant Duplessis contre lui.

«Tu vas voir, on n'a pas besoin d'eux autres. On est capables de faire notre vie tu-seuls...»

Duplessis ne répondait rien. Marcel ne s'était pas encore rendu compte que son chat ne parlait plus, qu'il ne le regardait plus avec ces yeux si intelligents, si pleins de malice, avec ce rictus, aussi, que le petit garçon appelait la grimace de la moquerie et qu'il essayait souvent d'imiter. Marcel ne savait pas encore que Duplessis n'était plus qu'un chat ordinaire. Imaginaire mais ordinaire. Il gambaderait comme un chat, il se frotterait contre les jambes de son maître, il exigerait de dormir dans le même lit que lui, sur le même oreiller, il ferait des crises quand il aurait faim, il marquerait son territoire parce qu'il n'avait pas été opéré mais il ne parlerait plus, aucune connaissance ne sortirait plus de lui, aucun trait d'humour, aucune déclaration d'amour. Il ne serait plus que le chat d'un fou qui croit avoir un chat.

Marcel sursauta en apercevant l'ombre qui se berçait doucement sur le balcon. Il reconnut Thérèse à l'odeur de ce parfum au muguet dont elle s'aspergeait libéralement dix fois par jour, mêlé au désagréable relent de gros gin avalé à toute vitesse et à son éternelle cigarette qui se balançait doucement au gré de la chaise berçante. Elle l'avait regardé monter.

«Tu fais toute plié en deux, toé, coudonc! Tu marches plié en deux, tu montes les escaliers plié en deux... On dirait que tu passes ta vie à chercher des trente sous! Ça te tente pas, des fois, de regarder par en haut?»

Marcel s'assit à ses pieds, déposa discrètement Duplessis sur le plancher du balcon. Mais le chat sauta aussitôt sur ses genoux en ronronnant.

«Quand ça me tente de regarder par en haut, j'me couche sur le dos!»

Thérèse rit et des souvenirs de petite enfance montèrent à la tête de Marcel qui dut s'appuyer contre la brique piquante pour ne pas suffoquer: le parc Lafontaine, la balançoire trop haute, le carré de sable plein de crottes de chats errants, la cachette dans les buissons mystérieux où les plus vieux se retiraient pour célébrer une répugnante et incompréhensible cérémonie, la roue qui donnait le tournis, les échelles qui donnaient le vertige, les couchers de soleil quand on remontait la rue Fabre trop tard et qu'une bonne volée vous attendait avant un succulent repas, parce que tout le monde était inquiet et qu'Albertine avait failli appeler la police trois fois à en croire la grosse femme...

La paix. Le commencement. Tout ça allait revenir. Après la purification.

«Tu parles pas gros.»

Thérèse venait d'écraser sa cigarette sous son pied gauche. Marcel pensa qu'en retrouvant le mégot, le lendemain matin, sa mère devinerait qu'elle était venue là, fumer presque sous son nez pour la narguer.

«Toé non plus.»

Un peu de vent. Le feuillage qui s'agite. Duplessis ouvrit un œil, remit son museau sous sa queue.

«Que c'est que t'es venue faire icitte? Ça fait tellement longtemps qu'on t'a pas vue.»

Thérèse allumait déjà une autre cigarette. Le craquement de l'allumette fit sourire son frère.

«Chus venue me bercer avant d'aller me coucher.

— Vas-tu rentrer?

— Jamais de la vie! Je l'ai vue une fois, aujourd'hui, elle, c'est assez pour le mois. Pour l'été. Pour l'année.»

Il rirent. En même temps. Les mêmes trois notes. Comme avant.

«T'en as pas de chaise berçante, chez vous?»

Thérèse haussa les épaules et lança un juron avant de parler.

«C'que j'ai chez nous, mon p'tit gars, ça fait partie d'une maladie qui s'appelle l'ennui mortel. Ma chaise berçante est ennuyante. Pis c'qu'y'a autour est ennuyant. Pis si j'sors pas de là j'vas mourir. »

Il commençait à mieux la voir dans le noir. Il devinait l'hésitation de ses gestes, la tête qui dodelinait non pas comme chez quelqu'un qui s'endort mais comme chez le soûlon qui n'a plus tout à fait le contrôle des muscles de son cou.

«T'es paquetée...

— Toujours. »

Il se leva après avoir déposé son chat sur le plancher.

«Tu me berçais souvent dans c'te chaise-là quand j'étais p'tit...

— Oui. Pis tu t'endormais. Pis t'étais trop pesant. Pis j't'aimais trop pour te réveiller. »

Il baissa les yeux, passa l'index sur le bord de l'accoudoir de la chaise.

«M'aimes-tu encore?»

Elle lui sourit et la rue au complet s'illumina comme pendant un feu d'artifice quand la grosse boule finale arrive et met un air de pâmoison sur le visage de tout le monde.

«En tout cas, pas assez pour pas te réveiller si t'es trop pesant.»

Il était dans ses bras. Ça ne lui était pas arrivé depuis des années. Il était trop grand, maintenant, il devait se pencher pour poser sa tête dans le cou de sa sœur, là où ça sentait le plus fort.

«Toé aussi, tu sens. Tu sens les allumettes. As-tu commencé à fumer?»

Pas de réponse. Dormait-il déjà?

Elle se mit à le bercer très doucement, même si ses jambes traînaient par terre, et elle retrouva aussitôt la chanson de Tino Rossi qu'il avait tant aimée, enfant; cette ritournelle idiote qu'elle avait déformée pour lui, qui le faisait rire mais qui, étonnamment, l'endormait aussi: «Marinellaaaaa, tu pues des pieds, tu sens l'tabaaaaac...»

Il rit.

«Tu dors pas?

— Tu chantes trop mal.»

Une petite tape sur les fesses. Comme autrefois. Ils eurent tous deux une boule au creux de la gorge.

«C'est ben la dernière fois que j'te berce.

— C'est ben la dernière fois que j'te le demande...»

La joie de faire semblant de se chicaner.

«Pis ton chat? Oùsqu'y'est, ton maudit chat?»

Marcel sourit dans le cou de sa sœur, là où ça sentait le muguet.

«Quel chat?»

Tout près, un gros matou tigré rêvait qu'il écoutait un ravissant petit garçon jouer avec une stupéfiante facilité une indéchiffrable sonate pour piano.

Et une odeur de fumée commençait déjà à virevolter dans la rue Fabre.

ÉPILOGUE

La montée était relativement facile : grimper l'escalier extérieur qui menait au hangar derrière la maison de monsieur L'Heureux après avoir traversé la cour remplie de carcasses de voitures, de tondeuses à gazon et de bidons vides, crocheter la serrure de la porte de bois avec n'importe quel bout de métal allongé, emprunter l'escalier en colimaçon qui montait vers le dernier étage puis gravir l'échelle branlante et pourrie qui menait jusqu'au toit. La trappe était facile à soulever et, tout l'été, s'ouvrait directement sur la Grande Ourse. On dominait alors la rue Fabre, on se sentait puissant, on pouvait voir sans être vu, on pouvait même faire peur à tout le quartier en lançant des hurlements de loup ou des rires de vampires.

La descente était plus hasardeuse : il faisait très noir dans le hangar de monsieur L'Heureux et le seul fait de se pencher sur la trappe donnait le vertige. Le premier barreau de l'échelle semblait hors d'atteinte, il fallait s'appuyer fortement des deux mains au bord du toit, écarter les jambes, tâtonner avec le pied droit à la recherche d'un appui, se laisser aller dans le vide... Monter vers le ciel étoilé faisait oublier araignées, souris et autres bibites imaginaires ou non, mais *descendre* dans la noirceur, ne pas savoir sur quoi on va poser le pied ou la main, était un supplice que peu d'enfants arrivaient à surmonter.

Voilà pourquoi il était presque toujours seul à monter jusque-là.

Il était couché sur le dos dans le gravier piquant, les mains croisées derrière la tête. Il pensait à Marcel qui lui avait un jour montré cette cachette à ciel ouvert et qui jamais plus ne l'y avait accompagné, Marcel qu'on avait trouvé endormi dans les bras de Thérèse, un peu plus tôt, alors que la folie s'emparait de la rue Fabre à cause de la fumée, et que sa sœur était allée border pendant que les pompiers défonçaient la porte de la maison voisine.

On n'avait rien trouvé dans la maison. C'était une maison vide, abandonnée depuis des années mais étrangement propre : aucune trace d'humidité sur les murs, aucune couche de poussière, le vieux poêle et les éviers luisants de propreté, comme si les habitants venaient juste de quitter les lieux après avoir fait un grand ménage. Dans le renfoncement du corridor, une boîte d'allumettes Eddy achevait de se consumer et quelques lattes du plancher avaient pris feu. Le tout avait été maîtrisé en quelques minutes, la peur s'était retirée de la rue Fabre, chacun était allé se coucher à la fois rassuré et inquiet, rassuré parce que les pompiers avaient agi rapidement mais inquiet parce que le feu, le maudit feu, risquait de prendre n'importe quand, n'importe où, dans ces maisons de briques et de bois mal protégées.

Thérèse avait disparu par la porte d'en arrière et Albertine n'avait pas pu l'engueuler comme elle en aurait eu envie.

Et Marcel avait continué à dormir du sommeil du juste.

L'enfant de la grosse femme se leva, s'approcha du bord du toit, se pencha au-dessus du vide. Pas un bruit. Pas un mouvement. Tout dormait, les objets comme les humains. Et lui veillait. Il aurait pu nommer chacun des habitants de chacun des appartements de chacune des maisons qu'il dominait; il aurait pu imaginer la position de leur corps dans leur lit, la couleur de leur rêve, l'odeur qu'ils dégageaient, surtout ses amis à qui il s'apprêtait à raconter pendant tout l'été une histoire sans fin qui mêlerait tout ce qu'il savait: leur vie quotidienne à eux, celle de sa propre famille, les films qu'il avait vus, les livres qu'il avait lus, les émissions de radio qu'il avait écoutées alors que ses parents le croyaient endormi... et le génie de Marcel qu'il s'apprêtait à piller.

Cette histoire aurait pour héros un petit garçon et un chat dans une forêt enchantée et on croirait parce que désormais il savait bien mentir, que ce petit garçon était lui-même.

Un rire cristallin, un bruit d'air déplacé par quelque chose qui se meut rapidement. Peter Pan vint s'asseoir à côté de lui.

«Toute une journée, hein?»

L'enfant de la grosse femme pencha un peu la tête sur son épaule gauche.

«D'habitude tu viens quand j'ai besoin de toé...

281

— Tu veux que je m'en aille?

— Non, j'me disais juste que j'avais peut-être besoin de toé sans le savoir.

— C'est haut, un toit, c'est dangereux.

— Voyons donc... J'passe mes soirées icitte, l'été, pis j't'ai jamais vu... »

Peter Pan s'approcha plus près, passa son bras autour des épaules du petit garçon.

« Fais pas l'hypocrite, tu sais très bien que c'est toi qui décides de tout ce que je fais. Si chus là, c'est parce que tu m'as appelé, parce que t'avais besoin d'un bras autour de tes épaules. Pis quand j'vas m'en aller, tout à l'heure, ça va être parce que tu vas l'avoir voulu. »

L'enfant de la grosse femme sourit tristement.

« Vas-tu toujours être là?

— Non. Tu vas finir par pus avoir besoin de passer par moi pis tu vas m'oublier.

— Moé t'oublier? Jamais! »

Peter Pan brassa un peu les épaules de l'enfant de la grosse femme.

« Pas de promesses. Pas de serments. Les enfants sont toutes pareils, si tu savais... Pis profite donc de c'qu'y'a au-dessus de nous autres au lieu de dire des niaiseries. »

Ils ne parlèrent plus.

Leurs pieds se balançaient dans le vide, leurs tête se perdaient dans le ciel. La Petite Ourse tournait autour de sa mère, Mars scintillait doucement, Vénus, la plus brillante des planètes, se pavanait.

Et le premier quartier de la lune, le début de tout, l'éternel recommencement, voguait au milieu de tout ça comme sur un étang d'étoiles.

Au creux du croissant de lune, un petit garçon était étendu, bras derrière la tête, jambes croisées ; il semblait rêver ; au bout, suspendu dans le vide par le col de sa chemise qui risquait de déchirer à tout moment, était accroché un adolescent qui se débattait.

Outremont, 3 septembre 1987, 15 juin 1989

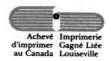

Achevé   Imprimerie
d'imprimer Gagné Ltée
au Canada Louiseville